Le Seigneur de la Danse

Du même auteur, chez le même éditeur :

- *La vie entre les mains* (1989)

- *Une thérapie manuelle de la profondeur* (1990)

Adresse à retenir :

Association du **M**ouvement de **V**ie
24, rue Michal
75013 Paris

ISBN : 2-85707-590-1

Danis Bois

Le Seigneur de la Danse

Éditions Guy Trédaniel
65, rue Claude-Bernard
75005 Paris

Merci à Eve Berger pour ses moments de complicité dans le partage éclairé de ce rêve de toujours.

Merci à tous mes proches qui n'ont pas renoncé à rêver avec moi d'un monde meilleur.

Merci à Maria et Donald.

Merci à Micheline Roesch pour ses illustrations spontanées.

Oxford Book of Carols
Traduction du texte n° 557
La Vie spirituelle

Je dansai le matin lorsque le monde naquit
Je dansai entouré de la Lune
Des étoiles, du Soleil
Je descendis du ciel et dansai sur la terre
Et revins au monde à Bethléem

Dansez où que vous soyez
Car, dit-il, je suis le Seigneur de la danse
Je mènerai votre danse à tous
Où que vous soyez, dit-il
Je mènerai votre danse à tous

Je dansai pour le scribe et le pharisien
Mais eux n'ont voulu ni danser ni me suivre
Je dansai pour les pécheurs
Pour Jacques et pour Jean
Eux m'ont suivi
Et ils sont rentrés dans la danse

Je dansai le jour du Sabbat
Je guéris le paralytique
Et les saintes gens disaient
Que c'était une honte
Ils m'ont fouetté, m'ont laissé nu
Et m'ont pendu bien haut
Sur une croix pour y mourir...

Je dansai le vendredi
Quand le ciel devint ténèbres
Il est difficile de danser
Avec le démon sur le dos

Et ils ont enseveli mon corps
Et ont cru que c'était fini
Mais je suis la danse
Et je mène toujours le ballet

Ils ont voulu me supprimer
Mais j'ai rebondi plus haut encore
Car je suis la vie
La vie qui ne saurait mourir
Je vivrai en vous si vous vivez en moi
Car, dit-il, je suis le Seigneur de la danse...

A Jésus

Oh, la vie, la vie
Dis, dis-moi la vie...

Ce livre est destiné à tous ceux qui n'ont pas renoncé à rêver d'un monde meilleur.

Il me semblait que les belles choses ne pouvaient se raconter autrement que par le rêve où se glissent des instants de vérité, de réalité.

Le rêveur est un homme qui n'attendait plus rien de la vie, et que seule une improbable seconde naissance pouvait sauver...

Anonyme le jour, il devint Roi la nuit. L'univers devint son pays. Durant son sommeil, il s'éveilla à la vie.

L'auteur
Le 25 décembre 1992

Fais voler ta plume aux vents célestes
Et laisse couler l'encre de ta vie
Sur ton parchemin secret
Prends cette plume et laisse-la danser
Dans l'insouciance de la spontanéité

Aime l'instant du blanc
Il est le silence en devenir de création
Surpasse le doute dans ta tête
Et trouve le lieu
Où la mémoire apprise n'a jamais existé
Danse avec ta plume
Et laisse-toi surprendre par les histoires
Qui jailliront d'un anonymat injuste

Chaque lettre sera un enfant
A qui tu donneras vie
L'instant d'une folie passagère
Quand l'enfantement est un acte irréfléchi
Comme le fut la création du monde
Née d'un amour trop grand pour l'homme

Laisse-toi vivre en mots
Et oublie-les dans l'instant…

Mon ami,
Laisse-toi surprendre

* * *

J'ai accompagné mon corps la mort dans l'âme. Je ne vais pas vous dire que je l'ai sauvé. Demain, c'est décidé, je quitterai ce monde, afin de mettre un terme à une vie sans lendemain.

Le cœur lourd, je voudrais vous dire que la vie est dangereuse comme le sont les pics de la montagne, aride comme le sont les torrents asséchés, et pénible comme le sont les voyages inutiles. Et pourtant... la vie est notre univers de naissance, j'en suis sûr.

Dormir, afin que le temps passe encore un peu... Dormir une dernière fois, avant que la lumière de l'aube ne fasse entrevoir l'ombre de mon désespoir...

Et si dans mon rêve final je rencontrais la plume de la connaissance, je me glisserais dans son encre pour qu'elle réinvente ma vie : espoir vain de celui qui s'accroche à l'improbable.

Allez, endors-toi...

Viens avec moi
Glisse-toi dans mon encre
Et ensemble nous voyagerons
Dans le monde de l'Univers

* * *

*U*n tourbillon soudain tourna dans mon corps...et me propulsa dans un monde étrange, un univers nouveau, une sorte d'atelier où se trouvaient posées négligemment quelques maquettes. On aurait dit les prototypes du Soleil, de la Lune et de quelques grandes étoiles. Mais de moule d'homme, je n'en vis point et m'en étonnai.

Un grand personnage se trouvait là, visiblement occupé à des tâches mystérieuses... Qui était-il ? Sûrement l'architecte de ce lieu... Etrangement — était-ce par effet de télépathie ?— l'homme répondit à ma réflexion avec un geste de désolation : «L'homme, hélas, n'a pas été créé ici ! Les plans dessinés par le Créateur furent dérobés par un dissident, un soir de lune noire.»

Me jetant un regard furtif, il devina ma déception, et me tendit alors quelques morceaux d'un parchemin aux pages arrachées.

Quelle merveille ! C'était, à n'en pas douter, les rares esquisses sauvegardées de la création humaine ! L'architecte me les confia, avec toute la délicatesse due à un trésor inestimable, conservé dans le plus profond secret.

Les dessins détenaient un étrange pouvoir : la beauté et la pureté de leurs lignes éveillèrent aussitôt en moi une danse invisible et savoureuse, dont chaque mouvement glissait dans l'intimité d'une courbe, dans l'infini d'une spirale, ou dans l'envol d'un fil reliant le ciel à la terre.

Venant de je ne sais où, une mélodie d'une douceur jamais créée fredonna alors : «Laisse-toi aimer, laisse-toi bercer par la vague de vie de l'Univers...»

Saveur inconnue, d'où venais-tu ? L'homme originel était-il animé ainsi de ce bonheur en mouvement ? Pourquoi, grands dieux, ne l'avais-je jamais ressenti auparavant ?

Plongé dans mon désarroi, je compris que jusqu'à ce jour il m'avait peut-être manqué l'essentiel... Cette prise de conscience ajoutait encore à la souffrance de ma vie. Avais-je été abandonné, ou, au contraire, était-ce moi qui m'étais éloigné de cette sensation de vie ?

Le grand architecte, me comprenant à demi-pensée, mesura d'emblée l'enjeu de mes questions: «L'homme, en effet, n'est plus ce qu'il devait être au départ : il a subi des modifications graves. Quelques-uns seulement ont échappé à la mutation et sont restés vivants. Les autres, d'une certaine manière, le sont aussi, mais aux yeux du père ils sont absents.» Puis sa voix, venant du fond de son cœur, chanta :

Savoure la tristesse du clown
Qui ne peut faire rire
L'enfant qu'il porte en lui

Partage le désarroi du musicien
Qui ne peut empêcher
La séparation du son de sa flûte

Ressens le désespoir du poète
Qui ne trouve pas le mot
A la mesure de la perfection

Recueille la désolation du danseur
Qui ne peut glisser
La danse de la vie dans son geste

Tu partageras alors la douleur
Du Créateur qui observe avec impuissance
L'espace qui le sépare de l'homme...

Bouleversé par la confidence de l'architecte, je ne réfléchissais plus vraiment...

Pas encore remis de mon émotion, je fus alors transporté en un lieu où les étoiles étaient éteintes. Par Judas, quel endroit sinistre ! Levant la tête, je découvris un personnage fier, ressemblant en tous points à l'homme : «Vous avez devant vous l'inventeur de la race humaine. Entrez, ceci est mon laboratoire.»

Mon regard se dirigea vers tous les points cardinaux et, horreur, je reconnus les pages manquan-

tes du grand parchemin, totalement modifiées !
A leur vue, mon corps se figea, mon cœur se vida
et mes os se durcirent... Et je mesurai dans mon
corps, l'espace d'un instant, la tragique méprise
dont l'homme avait été l'objet ! D'un bond, je re-
culai.

L'inventeur ne remarqua rien, et engagea une in-
terminable énumération des différentes mutations
de l'homme : «Il fut un temps où l'homme et l'univers étaient fusionnés. Grâce à mes travaux de
défusionnement, l'homme est devenu ce qu'il est;
l'organe pensant fut sculpté dans une matière
grise et blanche ; quelques replis et reliefs ont été
ajoutés pour créer un système de labyrinthes com-
plexes, de sorte qu'aucune pensée ne puisse ex-
plorer ni le dedans, ni le dehors.»

Cette fois, abasourdi, je n'écoutais plus... Ailleurs,
je voulais être ailleurs...

Tous ont cessé de danser
Pour beaucoup penser

* * *

*C*e souhait à peine exprimé, je me retrouvai dans un lieu où les vents célestes étaient très puissants, des vents qui me déposèrent au beau milieu d'un endroit à la transparence jamais vue. Sensation étrange, semblable à celle de l'enfant naissant qui découvre l'impossible réalité de la vie.

Oublie tout mon ami, comme l'a fait le papillon avec la chenille; je vais t'apprendre à danser dans les bras de l'univers,

entonna une voix aux accents dansants.

Interloqué, je demandai: «Qui es-tu ? Où es-tu ? Je ne te vois pas !»

Baisse un peu plus tes paupières et tu me verras, dans l'intérieur de ton corps...

A nouveau, je ressentis en moi un tourbillon de vie qui semblait me parler en mots d'amour :

Je suis un mouvement dansant
Digne de ce nom
Puissant comme le volcan au repos

Je suis une plume
Qui ne réfléchit plus
En mots placés

Je suis un musicien aux mélodies
Qui se jouent des gammes

Ma scène de danse est l'univers entier
Je respire son sang
Je puise mon souffle dans sa veine
Et mon corps tout entier
Devient son arbre de vie
Qui danse aux humeurs des vents d'ailleurs...

Rencontre invraisemblable, qui me faisait découvrir une sensation de liberté jamais ressentie. Les
barreaux de ma prison semblaient même s'ouvrir
devant la noblesse de la vie en mouvement vécue
un court instant. Mais, très vite, ma tristesse revint quand, à nouveau, je me heurtai contre cette
vitre me séparant des belles choses de moi-même
que je pressentais déjà.

J'en oubliai presque la parole de mon invisible compagnon : «Tu danseras dans les bras de l'univers...»

Je m'imaginai un instant danseur-étoile parmi les hommes... Idée sûrement erronée : mon corps se mit à sauter dans tous les sens, mes muscles devinrent douloureux, et mes jambes virevoltèrent dans les airs, toujours trop peu longtemps... Rêve ou cauchemar ?

Par chance, le mouvement dansant se manifesta à nouveau :

Je suis le Maître de danse de l'Univers

Et je t'apprendrai à danser

En dehors de toutes les lois

Connues par les hommes

Ma réponse fut inquiète : «Je ne connais rien à la danse, je ne suis qu'un rêveur désabusé qui s'invente des histoires pour tenir encore debout.»

En es-tu certain ?

Enfin, bon...

Tu verras cela plus tard

Écoute...

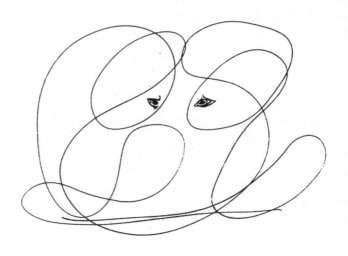

Baisse un peu plus les paupières...
Tu me verras à l'intérieur de toi

Oublie tout,
Mon ami

*C*omment ne pas être bouleversé par cet étrange monde qui se dévoilait ainsi, dans un univers de rêve ? Invraisemblable réalité, où les personnages, excepté l'inventeur, n'avaient pas de forme humaine, où la parole silencieuse déclenchait dans l'instant la sensation de ses propos, où le regard limpide traversait mon apparence et éveillait un large sourire dans mon corps...

Et que dire de cette danse qui avait animé mon intérieur quand j'avais eu entre les mains les esquisses de l'homme vivant, renouvelée quand le Maître de danse avait posé son cœur dans le mien, presque à mon insu... Oui, presque, car comment refuser une telle fête dans mon corps quand tout semblait s'effondrer ailleurs ?

Profane, je l'étais. Je n'appartenais pas à cette famille qui espère en une volonté divine pour résoudre ses difficultés. Je dirais même que je ne croyais en rien, pas même aux rêves : j'avais d'ailleurs cessé de rêver depuis longtemps...

Ecoute-moi bien, je te parle de là-bas
Dans le dedans de ton corps
Ne me cherche pas avec tes yeux d'ici
Car je suis d'ailleurs
Ou de peut-être nulle part
Là où se trouve ton lieu
Qui ne t'appartient pas vraiment

Enigmatique... Cette voix aurait été énigmatique si en même temps elle n'avait eu cette résonance dans mon propre corps. Visiblement, l'enseignement du Maître de danse se moquait de la compréhension classiquement admise. Ici, tout était direct.

Cependant, je me méfiais de ce que je comprenais, car il aurait été facile de transformer chacun des propos du Maître de danse à mon image, créant ainsi des malentendus qui m'éloigneraient de la réalité.

Voilà ce que je pense
Et ne me fais jamais dire
Ce que je n'ai jamais dit
La réalité n'est vraiment réelle
Que pour celui qui n'attend plus rien d'elle

Le Maître de danse semblait jongler avec les mots, mais à aucun moment il n'en abusait. Je pressentais qu'il était inutile de bavarder avec lui sur le sens de ses propos.

Si tu veux obtenir quelque chose de moi
Ne me demande rien, jamais rien
Car je te donne déjà tout

De fait, à quoi pouvaient servir de longues discussions, quand à la parole s'ajoutait la preuve par la sensation ? J'étais fasciné par ce qui émanait de cette présence invisible à mes yeux, et pourtant réellement palpable.

Peut-être y a-t-il un endroit en moi
Qui est exactement
Ce dont tu rêves pour toi-même

Découvre-le au-delà de la forme
Et peut-être commenceras-tu
A aimer le fruit de ta relation
Avec ce que tu soupçonnes
Comme étant irréel

Rien n'allait être facile. Il me faudrait sans doute aller à la limite de mon extrême et avancer en explorant les choses que je refusais d'emblée, pour découvrir, peut-être, le fruit de mes rêves cachés. Mais ma pensée collait encore trop avec l'ancien. Elle était comme un moule d'un héritage du vieux temps, quand je croyais encore aux objectifs tracés.

Des idées, encore des idées
Sur tout
Inaptes au présent

Abandonne purement et simplement
L'idée de la chose
Et offre-toi un moment d'insouciance totale
Ce lieu où les malentendus n'existent plus

S'échapper du monopole des idées construites revenait à réapprendre l'insouciance, sous une forme qui s'avérait nouvelle pour moi : redevenir exécutant de ce qui semblait me guider de toute façon et depuis toujours.

Accepte-moi comme ton serviteur
Et rien d'autre
Laisse-moi te murmurer

Dans le creux de ton espoir :
Nul n'a le monopole de la vie
Chacun en est seulement le dépositaire
Plus ou moins heureux...

C'était le moment où jamais de me confronter à moi-même. J'avais tous les atouts en mains pour me renouveler à jamais.

Admets que l'homme peut s'améliorer
Et qu'il n'est pas encore fini

Pars à l'aventure du sixième sens
Celui qui vit à l'intérieur de ton corps
Et qui s'ouvre davantage aux autres

Au plus profond de ma désolation d'autrefois, j'avais trouvé un serviteur. Il ne disait rien de plus ni de moins, et pourtant... je commençai déjà à lui donner ma vie, sans le connaître vraiment.

Tu me connais
Mais tu ne sais plus qui je suis...

N'as-tu jamais senti
Le privilège d'être vivant ?
N'as-tu jamais aimé
La surprise de ta vie ?

J'entrais dans un monde complètement inconnu. Fuir ou rester, j'hésitai un instant. Mais l'aventure était trop grande. Je pressentais des retrouvailles avec une partie oubliée de moi-même. Etre vivant ne signifiait plus seulement penser, bouger, dormir, manger, boire ou se reposer. Un mystère dans mon corps commençait à dévoiler sa face.

J'allais vers la vie, cette conviction naissait en moi. Mais en même temps, je prenais conscience que devenir vivant était peut-être pour un homme la chose la plus difficile à atteindre. Et seul, je m'en sentais incapable... Mon Maître devinait tout...

Ose dire Père à celui qui t'a créé
Dans le ventre de l'Univers

Souviens-toi de ta Mère
Celle qui te berce au rythme de la vie
En dedans de ton corps

Alors seulement le fils que tu es
Dansera à nouveau dans sa chair
Blessée par l'oubli

Tes frères de jeu seront la douceur,
Le bonheur et la lumière
Et ta sœur aînée dansera
Dans l'invisible beauté de ton corps

Tu deviendras l'être le plus important
De cette terre
Car en ce lieu tous sont égaux

Mon corps était l'arène de ma vie, où se jouait un présent qui battait le pouls de l'humanité, et je ne le savais pas. L'espoir renaissait un peu, grâce à la présence de mon nouveau compagnon. Il devenait dans son regard une partie de ma vie, il devenait dans son silence l'autre partie de ma vie; et je volais à peine son trésor, car ce cadeau, je le pressentais, m'était déjà offert.

Je cessais avec une rapidité déconcertante d'être comme le personnage d'un tableau qui accuserait le peintre de l'avoir dessiné : sans lui il ne serait pas là.

Je découvrais que j'avais deux géniteurs : mon père de la forme et mon père de l'invisible. Et sans eux je ne serais pas là non plus.

Prendre conscience de cela, peut-être était-ce le début d'une reconnaissance infinie d'être simplement vivant...

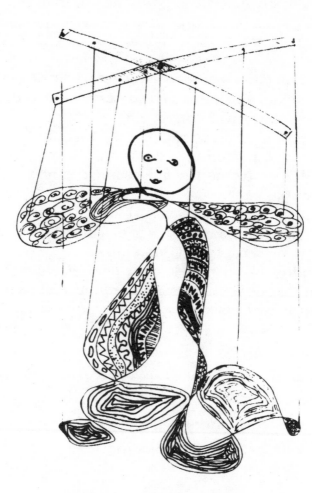

Fais confiance...
Laisse-toi guider
Je t'apprendrai à danser

* * *

$\mathcal{A}$utrefois je voyais le mal partout. Mes règles de vie guidaient mes pas, et je séparais allègrement les choses en deux, le mauvais et le bon, sans hésitations. J'avais le sentiment de servir une cause juste, et au nom de mes principes j'aurais même été prêt à partir en guerre contre la guerre ! Une guerre «juste» contre une guerre «injuste»...

Que de temps avais-je passé à combattre l'injustice extérieure, alors même que mon propre corps hurlait à l'injustice ! Et je ne l'entendais pas.

Ici, il valait mieux déclarer la paix à la vie, humblement, dans le silence, et m'armer de patience dans l'attente d'un traité d'alliance entre mon corps et la vie retrouvée...

Vois comme les hommes sont droits
Droits comme des « i »
Une droiture qui ne se plie pas
Comme s'ils regardaient l'autre
Du haut de leur droiture

Je compris vite : le corps était un livre ouvert dans lequel on pouvait découvrir l'histoire de l'homme qui, un jour, décida de diriger sa vie et la vie des autres...

Je découvrais que mon corps était soumis à rude épreuve. Le Maître, d'un seul regard, me faisait vivre tous les conflits silencieux régnant dans mon corps depuis que mon histoire était née, une histoire qui se dévoilait sans concessions : l'évidence de la réalité pure et entière d'une vie qui étouffait dans un corps bridé.

Connais-tu l'histoire
De l'homme programmé
Au point de l'ignorer

Au point de revendiquer
Son droit à ne pas changer

Connais-tu l'histoire
De l'homme emprisonné
Dans une cage de principes
Plus ou moins grande
Qu'on appelle libre-arbitre
Une cage aux barreaux dorés
Qu'on appelle moralité
Et le gardien ne sait pas
Que sa clé n'ouvre aucune porte
La serrure rouillée a fini par se fermer
En elle-même

Oui, tout est verrouillé
A droite comme à gauche
En avant comme en arrière

Alors l'homme regarde en haut
Avec l'espoir d'un salut
Qui pourtant ne peut venir que du dedans...

Je t'en supplie, Maître, arrête... Ses paroles me faisaient vivre un cauchemar, semblable à celui que j'avais vécu dans le laboratoire de l'inventeur de la race humaine.
Je sentais mes muscles se tendre afin de me maintenir dans une posture à l'image des raideurs de ma pensée. Mon corps était verrouillé dans un carcan qui m'empêchait de respirer librement, d'emprunter un autre chemin.

Tu parles avec ta bouche
Et le corps, ton enceinte, est délaissé
Comme s'il n'avait jamais existé

Tu penses avec ta tête
Et ton corps est privé
Des mots qu'il aurait voulu dire

Tes jambes marchent au pas
Des soldats de la survie

Qui rangent tout
Sous prétexte d'un ordre défini
Fini pour toujours

Tes bras pointent le doigt
En signe de justice ferme
Au nom d'une loi inventée

Ton torse est le coffre-fort
D'un amour accumulé
Comme l'avare le ferait avec son denier

Les propos du Maître étaient durs. Je devais me rendre à l'évidence : mon corps n'avait pas son mot à dire.

Je fus soudain stupéfait : par la magie de mon Maître, je redevins bébé l'espace d'un moment. Je découvris un univers naïf. Le son et le mouvement étaient inséparables dans mes appels aux autres. Puis le son devint mot, le mot devint phrase, la phrase devint langage codé. A cet instant je ressentis dans ma chair le divorce entre les mots et le mouvement : douloureuse solitude d'un corps soudainement délaissé par son frère de vie, devenu trop savant pour se préoccuper encore d'un cri en mouvement. Je pensai à ce moment que mon corps s'était sûrement laissé convaincre de renoncer à sa spontanéité et à son authenticité originelles pour se mettre au service des idées programmées.

Tu agis comme le musicien
Qui jouerait de la flûte sans son âme
Tu diriges ton existence
Comme le chef d'orchestre
Qui ne peut se séparer de sa partition
Ecrite par les autres

Mesure à quel point
Tout en toi est dicté d'avance
Avant même ton acte
Et pourtant tout en toi
Attend l'instant de répondre
Dans la spontanéité
De ton intelligence de vie

Spontanéité, je t'avais abandonnée. J'avais cru
être libre de mes faits et gestes, mais je n'ignorais plus aujourd'hui que toute action se faisait à
ton mépris. Combien de fois avais-je eu des élans
cachés, et combien de fois les avais-je remis au
lendemain, sans suite ?
En ces instants, toi, spontanéité, tu étais, sans
que je le sache, mon seul lien avec le Père.
J'oserais désormais me laisser convaincre par
mon élan, et le fils que je devenais y reconnaîtrait
le Père...
Camouflage, tu m'avais toujours abusé dans ta
tenue de référence qui savait tout, sur tout. Ma
créativité se mourait d'être ainsi transformée à ta
guise, au détour d'un effet de flatterie qui ne nourrissait que mon orgueil : plaire aux autres avant
d'exister simplement pour la vie.
Confort, ta prudence peureuse avait évité mon
extrême d'être moi-même en toutes circonstan-
ces.

Laisse de la place

A la voix qui te chuchote

Les mots qu'il faut dire

Les gestes qu'il faut faire

Croire ou ne pas croire : pour une fois il ne m'était
pas demandé de choisir. Il me fallait au contraire

perdre l'illusion de connaître le bon chemin à l'avance, et me laisser guider dans la confiance en ma destinée.

Le retour en arrière devenait suicidaire, et je perdais ma joie dans la comptabilité de mes contentieux passés : fallait-il faire ou ne pas faire ? Comment pouvais-je répondre aujourd'hui à toutes ces questions ?

Regarde plutôt l'événement venir à toi
Et rends-le heureux
Envers et contre tout

Recommence encore et toujours
Car chaque seconde est un cadeau
Qui ne se renouvellera pas
Et qui contient le sens unique
De ton chemin de vie

Combien de corps
Servent de prison
A la vie qui veut vivre ?

* * *

*I*nconnu, mon frère de vie, tu m'observais depuis longtemps, caché dans ton obscurité lumineuse ; tu m'attendais pour m'offrir la nuit de mes rêves, sûrement... A ton contact, j'entrevoyais mes limites : j'abusais du mot rationnel pour justifier mon absence de curiosité, mon manque d'élan de vie, mon peu d'humilité. Je voulais changer...

Ecoute l'histoire de cet enfant

Qui ne change pas de chaussures

Au fur et à mesure qu'il grandit

La nouveauté n'est possible

Que si quelque chose change en toi

C'est très simple, mais c'est possible

N'as-tu pas envie de tourner la page ?
Lire une seule page
Parce qu'elle t'a séduit
N'est-ce pas prématuré ?

Allez, tourne la page
Et feuillette ta vie au fil du temps
Comme l'enfant qui apprend
La leçon de sa vie...

Il me fallait bien admettre en effet qu'il existait une autre manière de percevoir les choses de la vie ; et je m'interrogeais souvent sur la signification du sixième sens dont m'avait parlé une fois mon Maître. Mais comment y accéder ?

Renonce à voir avec tes yeux
Afin que ton regard
Ne déforme plus la réalité

Renonce à entendre avec tes oreilles
Afin que ton écoute
Ne juge plus les mots

Renonce à parler avec ta langue
Afin de ne plus parler
Au nom de tes idées

Peux-tu concevoir que ta vie
Soit dictée par une intelligence suprême ?

Renoncer à diriger ma vie selon mon bon vouloir, voilà ce que me demandait sans cesse le Maître. Ensuite, me disait-il, il te suffira de douter de tes certitudes et de faire confiance à l'intelligence suprême qui guide ta vie.

Le principe me plaisait, mais de là à m'en remettre totalement à cette intelligence qui échappait à mon contrôle, il y avait un monde... Comment vivre dans la permanence de l'imprévisible événement, quand toute ma vie on m'avait appris à tout prévoir ?

Renoue ta confiance
Et dans tes moments de désolation
Ne sois pas gêné de t'en remettre
A celui qui sait tout
Dans le plus secret sens de ta vie

Jamais rien n'est vraiment inutile
Calamités ou offrandes
C'est à toi de choisir
Ennemis ou alliés
C'est à toi de décider
Mais n'attends pas le bonheur au lointain
Car il est déjà ici

Je prenais conscience que toute ma vie avait été une course effrénée vers le bonheur, une attente sans espoir puisqu'elle dépendait de l'imprévisible événement qui se moquait de mon attente en m'offrant des cadeaux non désirés...

Apprends à ne pas remettre
Ton bonheur au lendemain
Car si tu n'es pas heureux maintenant
Il n'y a aucune raison
Que tu sois heureux plus tard
C'est à toi, à toi seul
De transformer toute chose en bonheur

J'en concluais avec effroi que nul ne pouvait, dans cette démarche, se permettre de reposer son bonheur sur une attente qui ne se réaliserait peut-être jamais.

Délègue ta vie
Au Maître de l'Univers
Car il a fait la preuve de la perfection
L'homme pas, n'est-ce pas?

Quand tu iras dans son sens
On dira de toi que tu fais n'importe quoi

C'est laborieux de sans cesse répéter
Que l'homme est une aventure
Qu'il faut toujours découvrir à nouveau

Original, j'étais original, comment avais-je pu l'oublier à ce point ? Nul ne pouvait copier sur moi, et je ne pouvais copier sur personne, puisque ma vie était un parchemin s'écrivant dans le secret de ma nourriture nouvelle, et s'effaçant au fur et à mesure que mes pas avançaient.

Pardon à toi, l'intrépidité : tu m'apprenais le déraisonnable et je t'opposais le raisonnable. Pardon à toi, la confiance : tu me donnais des ailes pour survoler les obstacles, et je t'opposais la méfiance.

Je touchais les limites de ma peur d'aller trop loin, là où il n'y avait peut-être pas de chemin de retour.

Jamais plus je ne laisserais à autrui le choix du sens de ma vie...

Pour me récompenser d'une telle résolution, mon Maître me raconta une de ces histoires dont il avait le secret.

Un mot, après mûre réflexion, décida de sortir de sa phrase. Face à cette décision incongrue, les mots nobles s'exclamèrent, indignés : «N'êtes-vous pas devenu fou ! Nous sommes nés de la plume du plus grand penseur de tous les temps...».

51

Voyant que rien n'y faisait, les accents de tout poil s'écrièrent à leur tour : «T'es pas cinglé ! Sans toi notre phrase n'a plus de sens !».

Une nouvelle fois, rien n'y fit : animé d'un mouvement mystérieux, le mot joua des pieds pour écarter ceux qui avaient les mains liées. Mais la communauté au grand complet se mobilisa pour sauver la rime du siècle.

Devant la force du nombre, le mot changea de stratégie : «Je vais répandre des rumeurs déplaisantes sur chacun des mots.» Il commença aussitôt :

- Isolé de ton contexte, tu ne veux plus rien dire !
- Mis à part, tu n'intéresses personne !

Ainsi, de mot en mot, le bruit se mit à courir que désormais plus rien n'était aussi certain...

Profitant du désarroi collectif, le mot en hâte tira sa révérence à la phrase. Il put alors crier haut et fort :

« Je m'appelle liberté, et c'est le mot que je représente ! »

Un illettré de passage se mit à rire aux éclats devant tant de joie, et ensemble ils dansèrent jusqu'à l'aube...

Allez, tourne la page...

* * *

*O*ublier, et ne jamais plus regarder en arrière, à la recherche d'un ancrage où trop de gens restaient accrochés au temps perdu... Ma destinée se moquait de mon passé ; elle passait et ne m'attendait pas.
Jamais plus je ne négligerais la seconde éphémère qui marque le temps. Je pénètrerais dans son tempo et trouverais son infinie lenteur, afin de me donner le temps de vivre la naissance qui jaillit de présent en présent.

Aime la vie comme elle t'aime

Elle t'offrira alors

La saveur de la nouveauté

Le goût de l'imprévisible

Et la curiosité de la candeur

Je décidais fermement que rien ne serait plus jamais vraiment inutile. Chaque événement de mon mouvement serait une offrande, chacun des sommets serait une victoire, et aucun des creux ne serait plus une défaite.

Derrière tous ces reliefs

Se cache la volonté de ton Père

Qui t'apprend ainsi à ne plus douter

Mais à vivre pleinement

Confiance, je t'épousais pour toujours. Tu étais la clé dont dépendait tout. Méfiance, tu empoisonnais ma vie, et tu ne résolvais rien. Dur apprentissage que de se soumettre ainsi à l'incontournable imprévisible !

Qu'y puis-je si la nouveauté

N'est pas ancienne ?

Qu'y puis-je si le connu

Ne peut se glisser

Dans l'instant de l'inconnu ?

Je ne peux te faire poser ton pas
Dans des empreintes
De crainte que tu ne recules davantage

Je vais te dire un secret
Le Créateur ne te dira jamais :
«Te souviens-tu ?»
Non, mille fois non !
La création n'est pas souvenance
Mais naissance

Savoir humain, serais-tu une illusion collective
qui meurt avec le temps ?
Science humaine, serais-tu une concurrence
trompeuse de l'alchimie originelle du Créateur ?
Je me demandais si l'homme était plus intelli-
gent sous prétexte qu'il découvrait des solutions
à des problèmes qui n'auraient peut-être jamais
dû exister... Des prix étaient décernés à gauche
et à droite ; mais je pensais très fort que si l'homme
était raisonnable, il s'offrirait comme récompense
le plaisir ultime de s'étonner encore de tant de
beauté sur notre lieu de vie.

Le Créateur ne connaît ni la science
Ni la littérature
Il crée au rythme de son don

Un instant de solitude,
Et l'homme est apparu
Un instant de froid,
Et le soleil a brillé

Un instant de noir,
Et la lune a éclairé
Un instant d'ennui,
Et les oiseaux ont chanté

Ainsi en a-t-il été des montagnes
Des forêts, des plaines, des océans
Et de l'insecte...

Que désires-tu
Qu'il ne puisse t'offrir vraiment ?
Mais le désires-tu réellement ?

Je découvrais avec émerveillement les secrets de l'Univers dévoilés progressivement par le Maître. Chaque image se déroulait chaudement dans mon propre corps. Le Maître parlait résolument à mon intérieur et jamais à ma tête ; de mes certitudes il n'avait que faire. Seule l'intelligence du vécu lui importait vraiment car, disait-il, elle valait tous les discours du monde.

Mais en mon âme et conscience, étais-je prêt à quitter définitivement mon ancien monde ? Je sentais très clairement qu'un seul regard de mon Maître aurait suffi à me libérer à jamais de mes retenues. J'étais fasciné par son univers... Pourquoi hésitais-je encore ?

La preuve la plus tangible de Dieu, je le savais, se trouvait dans les livres sacrés, mais je découvrais lentement que la preuve la plus tangible de la vie se trouvait dans le corps. Je me rendais compte que la réalité du vécu m'ébranlait totalement : elle appelait de ma part un changement sans détour et peut-être sans retour.

Je prenais même conscience que la réelle existence des choses impalpables apporterait le trouble parmi les hommes...

Je n'échappais pas à cette règle : la preuve me gênait, en même temps qu'elle me confortait.
Le Maître m'aidait dans son attention soutenue.
Ses mots me faisaient du bien, et me donnaient de l'espoir en mon lendemain... L'amour semblait être mon nouveau salut...

Mon ami, l'amour de ta vie t'attendait
Dans la chair de ta chair depuis si longtemps
Il était venu, et tu ne l'avais pas vu

Ma condition d'homme m'avait appris à aimer les choses de la vie, mais pas la vie elle-même ; les preuves de l'amour, mais pas l'amour lui-même.
Mon corps souffrait de cette ignorance, et le sentiment amoureux pour ma belle ne suffisait pas à le combler.
A cause d'elle, j'avais été prêt à mourir. Pour la vie, je me sentais prêt à renaître...
Et je pouvais désormais rire de l'histoire que m'avait un jour racontée mon Maître :

Au pays du mouvement, une étoile filante plongeait et replongeait dans les airs comme le dauphin dans l'océan. Elle s'illuminait de liberté en se jouant des nuages qui séparent l'homme du ciel.
Mais un soir, distraite, elle tomba par mégarde dans le cœur d'une âme itinérante. Ce fut le coup

de foudre et elles se marièrent dans les règles du temps.

Le scintillement des étoiles marquait la seconde qui met de la distance, et la nostalgie vint dans le cœur de l'étoile filante: «Après tout, ne suis-je pas née pour voyager en coup de vent ?»

A son tour, l'âme itinérante s'interrogea: «Ne suis-je pas née pour visiter les hommes ?»

La demeure devenait sombre, et belle de nuit partait de plus en plus en balade, laissant son compagnon de fortune dans les ténèbres de la solitude d'une âme sans corps.

Il alluma alors sa chandelle, en pensant très fort à sa bien-aimée. Perdu dans son rêve, il se brûla les doigts à la flamme.

Dépité, il tira à lui la couverture du ciel et s'endormit. Le feu de son cœur brûla son désir.

Un ange de passage, le voyant ainsi désespéré, lui offrit en hâte ses ailes. Il s'envola alors à la recherche de sa belle étoile... Mais plus haute fut sa chute.

Définitivement découragé, il déversa des flots de larmes qui éteignirent la flamme de son amour.

Depuis ce jour, l'âme libérée de son sentiment sème à tous vents la vie dans le corps des hommes...

Mon ami,
Entre en toi

*　*　*

L'enseignement de mon Maître portait ses fruits. Il semblait satisfait du travail accompli. Le moment était venu, m'avait-il dit, de découvrir la vie profonde en moi qui m'attendait depuis toujours. Moment important venant récompenser un véritable chemin de croix qui m'avait conduit à changer radicalement tous mes automatismes de pensée.

Chaque mot avait été pesé et avait le pouvoir de créer la confusion dans mes croyances bien arrêtées, mais, en même temps, chaque mot était une ouverture nouvelle, qui m'invitait à pénétrer l'univers secret de mon corps intérieur.

C'est dans ton cœur qu'il te faut renaître

Afin d'attendrir la dureté de son contour

Alors la vie circulaire du cœur

Rayonnera dans ton corps d'un amour vrai

De l'amour naîtra le mouvement invisible
Dont l'enjeu est d'éveiller
Les parties de toi-même
Devenues insensibles à la vie

Mon Maître m'intimait très clairement l'ordre de cesser de gesticuler vers l'extérieur, et de me reposer dans mon dedans, en ne cherchant plus rien. Le mouvement intérieur viendrait alors à moi, avec la joie d'un père qui retrouve son enfant après bien des années de séparation.

Je vais t'apprendre la non-méditation
Libre de savoir trop savant
Libre de concentration trop ambitieuse
Libre de postures trop figées

Comme toujours, les propositions étaient simples. Il fallait fermer les paupières afin que le regard touche la vie de l'intérieur, et rechercher un relâchement total dans la position de son choix.

Découvre la présence
De ton danseur invisible

Dans le secret de ton corps au repos
Tu as en toi la trace vivante
De ton mouvement de vie
Qui se déroule dans tes os
Qui s'enroule dans ton cœur
Dans une lenteur proche de l'immobilité

Immobile et c'est la mort
Mobile et c'est la vie retrouvée

Un fait incontournable était là, ressenti réellement : je pouvais en témoigner, la vie était un mouvement invisible, caché dans la profondeur de l'homme, et se jouant des règles de l'apparence.
Je me souvenais maintenant de cette expérience déjà vécue quand mon regard s'était posé sur les esquisses originelles de l'homme. Avais-je déjà oublié cette danse ?

Oubliée, délaissée par l'homme
Préférant l'écorce du fruit
Au fruit lui-même...

Cette danse est une nouvelle prière
Qui invite le corps
A exprimer le secret
Dans le monde du visible

Cette danse, je le pressentais, était une reconnaissance de mon origine éternelle. J'avais l'impression étrange de n'être qu'un relais temporaire d'un moment d'éternité. Une idée folle me venait à l'esprit : avant ma naissance j'existais peut-être déjà, et après ma mort j'existerais peut-être encore... Impression réconfortante qui éloignait le spectre de la mort inutile : une mort lente dans l'attente d'une mort définitive. Je mesurais combien cette proximité avec la mort avait occupé secrètement mon attention, et combien cela m'avait probablement fait oublier que la vie existe.

Mon corps était la chapelle de ma vie, et je l'ignorais...
A travers lui je commençais à me sentir vivant.
En lui je découvrais la mouvance émouvante de l'état d'âme du Créateur.
Ma vie, sans âme, était restée longtemps gelée dans sa coquille d'hiver. Mais la mélancolie de mon espoir retrouvé la réchauffait à nouveau. Ce n'était pas un adieu. Ce n'était pas non plus un

au revoir, et pas davantage un bonjour. Ce n'était pas un abandon.

Je changeais, et mes pensées se faisaient plus intrépides, plus confiantes... J'avais cessé de réfléchir. Quelque chose en moi s'était mis en mouvement, et tout allait désormais très vite. Je découvrais la vie, et il y avait un monde entre comprendre et vivre. Mais que l'un vienne à manquer, et plus rien n'était possible.

La rencontre entre ma vie et mon corps était le plus beau cadeau qu'il m'avait été offert de vivre. Elle m'apprenait la douceur...

Mouvement de vie

Substance vivante

Née d'une rencontre entre deux extrêmes

L'énergie et la matière

Faites pour s'épouser

Dans la douceur d'une relation aimante

Le mouvement de vie

N'est pas un rêve

Il est la réalité devenue réelle

Comment avais-je pu vivre sans lui ? Jamais plus je n'offenserai la vie... J'effacerai désormais les frontières qui existent entre l'invisible et le visible, l'inconnu et le connu, l'invraisemblable et le vraisemblable.

Plus rien ne te paraîtra aussi vrai

Et le reste deviendra un jeu

Qui ne troublera plus

La coulée de vie

Qui animera ta matière,

Ton corps, ton mouvement

D'un ballet conçu

Dans le cœur du Créateur lui-même

Et ton corps deviendra la scène

Où tu joueras à chaque seconde

Le spectacle de ta vie

Merci de m'avoir tant donné : j'avais tant besoin de toi pour rencontrer la profondeur, pour soigner mes plaies et mon corps perdu...

Je te dis merci car sans toi je serais resté orphelin. Tu m'offrais tout ton cœur, tout ton amour, et j'essayais d'en être digne, à jamais et pour l'éternité...

La balade que je faisais dans cette vie prenait un sens et je chantais, pour mieux me souvenir que la vie existe, ce qui allait devenir la mélodie de mon corps :

Oh cœur

Oh mon cœur

Je t'attends depuis longtemps

Depuis toujours

Depuis à jamais

Laisse tes larmes

Couler dans mes veines

Laisse le torrent de ta vie

Danser dans mon corps

Mon cœur
Oh mon cœur
Ne sais-tu pas que la vie sans toi
N'existerait plus...

*Je suis la vie et je l'aime
Je coule en toi en secret...*

Mon ami,
Danse en dedans

* * *

*D*ésormais je voulais me reposer dans le mouvement de la vie.
Trop longtemps j'avais couru, toujours à côté...
J'étais désabusé. Trop distrait, le jour j'oubliais la vie. Je jouais avec les sens et les sens m'avaient joué des tours !
Mon danseur intérieur avait tant de choses à me dire... Pourquoi lui avais-je tourné le dos ? Il m'aimait de toute sa vie et je ne l'entendais pas !

Cherche, cherche encore

Si tu veux connaître les lois de l'Univers

Découvre d'abord les lois invisibles

De ton propre corps

Chercher, encore chercher... Je ne cessais de le faire avec toute la force du nouveau-né qui cherche sa première inspiration. Mon Maître de danse était à chaque instant mon partenaire de vie.

«Toute inspiration est suivie d'une expiration», me disait-il. Cette réalité s'appliquait à toutes mes idées, chacune d'elles devant expirer pour donner naissance à un nouvel élan. Découvrir les lois invisibles de mon propre corps nécessitait une avancée par paliers, me permettant un changement de mes références de vie.

D'abord ne fais rien
Ecoute le silence en toi
Riche de presque rien

Puis vois la couleur
Laisse-la venir
Ne la recherche pas
Et pénètre en elle

Le silence et la couleur
Offrent la légèreté et la saveur
Et une caresse en mouvement
Douce

Deviens le canal
Du mouvement de vie
Cette coulée lente
Qui connaît le chemin
Au sein de tes os et de ton cœur
De ton corps en entier

Incroyable alchimie de la vie ! Tu transformes l'invisible en visible par le miracle d'une rencontre intime. La vie coulait dans ma chair comme la lave d'un volcan creuse son lit dans la chair de la Terre...

Toi, mouvement de vie, je te ressentais comme la mère sent la présence de son bébé dans son ventre. Tu devenais présent à mes sens par la seule grâce de l'attention que je te portais. Ta lenteur était semblable à celle de l'escargot qui glisse en prenant le temps de vivre.

Laisse-lui le temps
De cheminer lentement dans ta chair
Très tendrement

Comme si l'énergie épousait la matière
Comme si la matière devenait souple
Attendrie par l'amour en mouvement

Pénètre à l'intérieur de ton intérieur
Plus profondément encore
Explore certains paliers de vie
Et renoue le contact
Avec les zones éloignées de toi

Alimente la vie
En participant à ce chemin initiatique
D'un moment

Je voulais désormais danser dans mon intimité invisible, et pourquoi pas transformer l'amour, le vrai, en mouvement visible. Chaque geste jouerait la partition d'une douce vie en mouvement, dans mon corps devenu perméable à la caresse des vents célestes orchestrés par mon Maître de danse...

Va dans le sens des vagues
Dont les marées dépendent de l'Univers
Sens comme elles se retirent
Et reviennent de haut en bas
D'avant en arrière
Et de droite à gauche

Comment pouvais-je soupçonner les allées et venues de cette vague de vie dans mon corps ? Explorateur j'étais devenu... et, stupéfait, je découvrais un monde nouveau dans mon propre corps. Je pensais, à ce moment-là, à tous ces aventuriers qui courent à travers le monde, ignorant peut-être qu'en eux-mêmes un autre monde les attend. Un pressentiment naissait en moi : les océans, le corps et l'univers, devaient avoir un lien entre eux, une marée commune.

Ne réfléchis plus
Laisse-toi aller dans ce tourbillon de vie
Et atteste de ton vivant
Que ce tourbillon dansant est ton ami

Qui réveille la vie

Qui touche la vie

Et qui soigne ton corps

Il me fallait me fondre dans ce tourbillon de vie devenu palpable et incontournable à mes sens... J'étais fasciné par la présence de cette vie en spirale qui tournait dans mon corps. Chaque mouvement semblait être un manège enchanté qui faisait rire les zones tristes de mon intérieur.

Douceur, saveur,

Bonheur, profondeur

Exprimés dans un malaxage

Dont l'enjeu est l'éveil

J'avais la preuve de l'existence des manifestations de la vie dans mon être. Il y avait une curieuse bonne entente entre toutes les coulées de vie qui, semblables aux innombrables torrents se jetant dans la rivière, devenaient une pour réaliser ensemble un chemin de vie dans le lit de la matière, sous la forme d'un puissant malaxage. Rien ne pouvait plus m'arrêter.

Il n'est rien de plus puissant
Que la relation de la vie à la vie
Ponctuée par une danse intérieure
Qui extrait la matière de son histoire
Une grande histoire, puisque c'est la tienne...

Toi, mouvement de vie, fais de moi selon ta volonté, car ta danse est un espoir pour l'humanité...

Maintenant tout est possible
Il y a mille et un courants dans ton corps
Et chacun accomplit son travail
Dans son invisible fonction

Ton corps contient
Toute l'histoire de ta vie
Et de ta non-vie
Il a la dureté de tes certitudes
Qui s'opposent à la lente coulée
De la vie

La vie contre la non-vie : la confrontation semblait inévitable, comme si les extrêmes devaient aller l'un vers l'autre. A ce prix-là seulement, l'immobile deviendrait mobile, et l'énergie et la matière fusionneraient, donnant naissance à une douce et lente mouvance qui assouplirait la rigidité cachée.

Mais combien de temps me faudrait-il pour que ma tête abandonne définitivement son pouvoir sur mon corps ? Combien de temps me faudrait-il pour que l'énergie de vie puisse se faufiler dans mes entrailles, dans les fissures de mes doutes, afin de balayer cette poussière du temps qui s'opposait à mon chemin de destinée vers la vie de l'Univers ?

Ton corps est aussi un musée

Qui contient toute la culture de l'humanité

Poussière déposée depuis le temps des temps

Par l'homme et ses croyances

Dépôt d'un héritage lourd à porter

Pour le présent en mouvement

Qui ne connaît pas même la seconde

Toi, mouvement de vie, tu as la douceur de l'amour et la puissance de celui qui sait. Tu es le seul à accéder aux recoins de mes conflits. Je m'abandonne à ta toute-puissante sagesse pour nettoyer les dates de mon histoire et les empreintes d'un héritage qui ne m'appartient pas vraiment...

Il te faudra faire de ta danse une prière

Afin que le mouvement nettoie

Toutes les racines du souvenir

Trop vieilles pour épouser

La nouveauté du présent

Apprendre l'insouciante confiance et m'engager sans retenue dans mon sens inédit. Ne pas avoir peur...
Je savais que pour peu que je sois attentionné, mon Maître de son regard éclairé offrirait la solution à mes hésitations.

Il est un lieu dans ton corps

Qui ne réfléchit plus

Une intelligence

Emancipée de l'organe pensant

Et qui n'a pas oublié
Le langage du Créateur
Authentique parce que jaillissant
Dans ton mot
Dans ton geste

A ce moment-là
Tu sauras que le vrai
Est une impulsion
Qui t'invite à l'action appropriée

Tu sauras aussi
Ce que leurre veut dire
Quand tes pas seront à côté

Tu comprendras alors
Que la danse de vie est le temps fort
D'une intime confession à toi-même
D'une intime relation à l'Univers

81

Mon ami,
Danse au dehors

* * *

Cette fois-ci, c'était décidé : je ne me préoccu-
perais plus de moi, et je laisserais mon corps vivre sa vie, libéré de mes décisions. Peut-être...
Sûrement.

Oh oui, tu peux

Tu peux si tu veux

Entends le souffle de l'Univers

Ecoute-le

Il est là dans ton mouvement

Allons, viens, la danse commence...

Danse spontanée, conduis-moi en des lieux inconnus, que chaque geste nouveau traduise une
victoire sur une hésitation, une conquête de mon
originalité.

Ton geste deviendra
Le verbe en mouvement
De tout ce que tu n'as jamais osé dire
Jamais osé faire
Libre d'exprimer
Toutes tes rancœurs retenues
Tous tes espoirs déçus
Et tous tes rêves d'aujourd'hui

Mon corps devenait le porte-parole de mon cri intérieur étouffé. Chaque rancune exprimée dans mon geste nourrissait une sensation de liberté nouvellement acquise. Ainsi, de nœud en nœud, je délivrais mon passé de toutes ses retenues à ma spontanéité.

Chaque orientation
Née de l'imprévisible spontanéité
Jaillira de ton impulsion de vie
Une fois et plus jamais

C'est la part qui te revient
Car le sens de ton orientation
Comme ton mouvement de vie
Est à toi, rien qu'à toi

J'avais la sensation de devenir une marionnette guidée de mains de Maître par une volonté autre que la mienne. Cependant, curieusement, chacun de mes gestes avait une orientation qui exprimait mon originalité en devenir.

Lentement, plus lentement
Ne décide pas du sens
Que ta peur cède
A la douceur lente
De cette coulée de vie
Qui nourrit ta chair

Aime ce corps
Qui s'émeut de se mouvoir ainsi

C'était une longue histoire entre la vie et le corps perdu, qui se déroulait dans la matrice même de mes gestes...

Je voulais relever le défi de devenir vivant, et cicatriser ainsi la plaie de ma séparation avec l'Univers.

Il n'y avait plus rien à faire. C'était un abandon qui appelait la rencontre avec le cœur de ma vie. Je me trouvais soudainement comme ce papillon qui de la chenille s'envolait, libre de se poser sur toutes les fleurs avec la légèreté de l'amour ; un papillon dont les ailes caressaient mon cœur et mon âme...

La mouvance de mon geste devenait de plus en plus lente, comme pour dérider majestueusement mon corps d'un passé encombrant. C'était la vie en mouvement qui me faisait danser ainsi la plus belle danse de ma vie...

Je t'en prie

Abandonne tes idées

L'idée la plus petite

Est un obstacle au mouvement

Pour une fois, ne pense à rien...

Je pressentais plus que jamais qu'il ne fallait surtout pas me concentrer, ni sur l'intérieur ni sur l'extérieur. Dans ces moments-là, la moindre concentration est comme le pas d'un éléphant qui écraserait une fleur !

L'amour est chaud
Comme la chaleur auprès du feu
Réchauffe-toi au foyer de ton corps
Ses flammes dansent l'amour
Et invitent ton corps
A danser au tempo des frissons

Chaque geste s'exprimait dans une lenteur ex-trême, et ma danse était un sanglot d'amour qui ruisselait dans le fleuve de vie, ce fleuve qui nourrit la graine d'un espoir infini...

Ne retiens pas tes pleurs
Ton corps gelé fond en sanglots
Et ton cœur dégelé
Se noie dans le flot de l'amour
Du coeur de l'Univers
L'amour et la chaleur voyagent ensemble
Depuis que le Créateur
T'aime de son foyer ardent

Les silences me nourrissaient, les gestes me parlaient, et je dansais... Que me restait-il d'autre
pour dire la beauté de la vie ?

Je voulais te dire
Que la douceur est fragile
Je voulais te dire aussi
Que l'amour est ici

Il te faut devenir
Le virtuose du respect
Quand la douceur est là
Et l'amour aussi

Je devenais l'amoureux transi de mon corps, ma
maîtresse était la vie, et je glissais dans mon lit
de soie.

Surtout, n'oublie pas
La lenteur est la meilleure compagne
De ta vie

La coulée de vie s'exprime ainsi
Dans une lenteur aimante
Semblable à celle
Qui anime les planètes

Je diluais l'état d'âme de ma danse dans les parties les plus infimes de mon corps : une rencontre devenue possible par la grâce d'un mouvement se faisant caresse...

Je voulais te dire aussi
Que la lumière éclaire
Les ombres de ton corps
Depuis que le temps existe

Lumière blanche
A celui qui a fait de sa vie
Une humilité vivante

Lumière bleue
A celui qui a fait le choix
De la compassion pour la vie

90

Anges de lumière
Envoyés du Créateur
Pour éclairer ta scène
Afin que tous puissent la voir

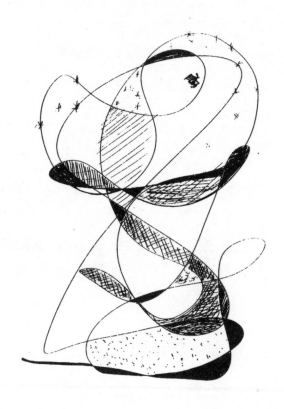

Dans une lenteur aimante
Rends visible ce qui est invisible

* * *

Comment pouvais-je faire la différence entre un geste et un autre geste, analogues dans la forme, étrangers dans le fond ?
Tout le drame de l'humanité n'était-il pas là, dans cette confusion née de l'apparence ?

Pas de fioritures dans ta danse

Ne leurre pas ton authenticité

Et ne joue pas la sincérité

Pas d'artifices dans ton geste

Epure-le au point de te sentir nu

Dénudé de toute volonté

De faire ou de ne pas faire

Nombreux sans doute étaient les danseurs étoiles adulés pour leurs performances. Mais ici, n'auraient-ils pas eu tout à apprendre, et même tout à oublier ? Leurs pas et leurs gestes étaient les leurs, et ils ignoraient probablement la présence de leur danseur intérieur qui pleurait d'isolement en attendant son tour d'entrer en scène.

N'essaie pas de convaincre

Par l'attrait de la forme

Fais le mouvement qui te ressemble

Deviens l'objet de la création

Et donne-lui vie

Dans l'élan d'une danse imprévisible

Je me trouvais au centre de la tristesse humaine, celle de la séparation entre l'homme et son danseur intérieur.

Chaque danse est une création nouvelle

Une sculpture mouvante

Née de la main-même du Créateur

Comment faire pour dénoncer cette différence entre une apparence et la réalité, entre une croyance et un vécu ?

Le faux créateur
Est celui qui se distingue des autres
Dans le souci de faire différent
Au mépris des lois de l'Univers

L'homme que j'avais été hier n'existait plus. Mais qui pouvait le savoir ? Pas même mes proches, qui ne se préoccupaient pas des changements qui ne se voient pas... Il fallait que j'apprenne à changer tout mon être, afin que nul ne puisse plus ignorer mon nouvel état.

Pas un mouvement ne ressemble à un autre
Unique parce que nouveau
Original parce que tien
Comme chaque seconde de ta vie
Comme chaque événement de ta vie

Aime l'imprévisible
Recherche la nourriture de la nouveauté
Fais-en une étape éphémère
Et non une réalité durable

J'avais soif de création, et je faisais maintenant nettement la différence entre créer et inventer. L'un était le fruit de la création originelle s'exprimant à travers l'homme, l'autre était le fruit de l'intelligence humaine, un point c'est tout.

Mais avant de créer, il me faudrait travailler sans cesse afin qu'aucun espace ne subsiste entre le Créateur et le serviteur que je devenais. Mon corps devait obéir aux douces recommandations de mon Maître de danse.

La balade de ton corps

Fait des orphelins

Veille à ce que toutes ses parties

Participent à la fête

Ensemble

Au diapason du mouvement de vie

Chaque articulation de mon corps revêtait une personnalité spécifique, qu'il fallait respecter dans ses humeurs. Elles avaient toutes pouvoir de décision, et il me semblait qu'elles n'aimaient pas être prises au dépourvu. Sans elles, aucun acte ne me serait permis : je ne pourrais ni manger, ni agir, ni bouger, ni parler...

Seule l'ambiance feutrée de cette danse silencieuse peut faire comprendre combien les articulations sont les alliées du cerveau pensant. Le mouvement de vie semblait le savoir, car il connaissait le moyen de détourner leur attention afin d'éviter le geste répétitif d'un mouvement conditionné.

Le Maître avait deviné mes difficultés. Je ne sais par quelle magie il avait l'art de se glisser dans mon intérieur pour me souffler la marche à suivre...

Sens comme toutes les articulations

Jouent leur partition

Dans une orchestration parfaite

Quand elles sont libérées

De l'organe pensant

Ses paroles étaient de véritables gestes et avaient le don de créer dans l'instant l'équilibre parfait : toutes les articulations lui obéissaient au doigt et à l'œil, sans que jamais il n'ordonne quoi que ce soit. Ensemble, elles dansaient dans une harmonie globale allant bien au-delà du corps.

Si tu veux atteindre
L'espace illimité de l'Univers
Il te faut les convaincre toutes
De danser ensemble sans exception aucune
Pour l'amour de ta vie

Je n'avais jamais vu le Maître se tromper une seule fois dans ses conseils. Ses mots communiquaient la sensation à mon intérieur. Cette fois encore, j'avais la confirmation du pouvoir de sa présence. Il semblait ne jamais écouter ce que j'avais à lui dire et, cependant, il répondait toujours à l'avance à mes inquiétudes...

Alors seulement
La lenteur deviendra encore plus lente
Et cessera d'être un mouvement
Pour être une caresse
De l'Univers dans ton corps

Ton orientation sera tracée
Par la volonté-même du Créateur
La forme passera au second plan
Jusqu'à être oubliée totalement

Et ta soumission te fera oublier
Ta condition d'homme

A cet instant précis, son souhait fut exaucé : un tourbillon fit voler en éclats toutes les particules de mon corps. J'eus tout juste le temps de formuler des vœux qui engageaient définitivement ma vie...

Oh Maître de la Création
Tu danses dans mon corps
Tu pleures dans mon cœur
Et tes larmes coulent encore
Le long de mon front

Que ta couronne d'épines
Me rappelle à mes fausses idées
Elles font du bruit dans mon corps

Trop de questions sont des offenses à la vie
Trop de réponses sont des abus de confiance

La vie est un linceul
Qui laisse des traces
Dans les souillures du temps

Donne-moi la force de chercher encore
Dans la doublure de mon vêtement
Et aide-moi à déchirer la dentelle
De mon être indélicat

Allez... Confiance...
Deviens vrai...

Mon ami,
L'univers t'attend

* * *

*J*e me sentais plus que jamais prêt à accepter l'inconcevable : état étrange que peut connaître l'aveugle-né qui va recouvrer la vue après une longue nuit noire.

J'avais subi une multitude d'interventions ponctuelles réalisées de main de Maître par celui qui se voulait être avant tout mon Serviteur de vie.

Mon corps s'était ainsi éveillé à la lumière de la vie, et s'était mis à danser au sein de sa chair.

J'étais maintenant en attente d'une aventure pour une destination nouvelle, en aventurier bouclant une dernière fois l'inventaire de ses préparatifs.

Je pressentais chez mon Maître une profondeur que seul le partage entre deux êtres risquant leur vie peut faire connaître.

Instant de silence... Tout était suspendu à notre premier pas. Instant fatidique, quand le fruit d'un travail besogneux peut gagner ou perdre en une seconde...

C'était le temps d'un record conduisant à la victoire sur ma peur, mon ignorance, mes doutes ;

sur tout ce qui freinait un élan, flèche lancée qui allait au but, qui devait aller au but. Il le fallait ! «Doute, éloigne-toi ! Car je me mets à douter...» Mon Maître devina ma peur, me sourit dans mon cœur, et pansa une nouvelle fois mes plaies :

« Tout va bien aller ! Tu es prêt, je te l'assure ! »

Drôle d'ambiance que celle régnant entre un Maître et son élève, unis pour le pire et le meilleur, dans un passage d'examen final.
Je fermai les yeux et me remémorai tous mes moments de danse.
J'allais maintenant entrer en scène, et découvrir peut-être le bonheur de m'oublier totalement, de me fondre dans le présent devenu mouvement...
Je franchirais tous les obstacles, toutes les limites de mon corps, afin d'occuper toute la scène... la scène de l'Univers ! Mon Maître me l'avait promis !
Garder l'insouciance, être plus léger dans mon attitude, moins concentré, et laisser faire, accueillir.
Je répétais sans cesse, sous le regard silencieux du Maître, mes gammes apprises dans le secret de son silence.
Rechercher la douceur, l'énergie du mouvement, la sentir à l'intérieur de moi... Il fallait absolument me laisser conduire par mon mouvement, car c'était lui qui allait être mon guide tout au long de mon aventure.

Des gammes, toujours des gammes... Mon Maître surveillait de très près mon échauffement de sensations !

Je commençai à entrer dans un léger mouvement, précieusement, sans déranger cette beauté qui coule...

C'était le moment le plus délicat : rendre visible ce qui était invisible, sans quitter la source de l'intérieur.

Je m'essayai une dernière fois : une cuisse recule, mon coude bouge et s'éveille, ma tête s'abandonne, et tout mon corps participe à la danse dans une lenteur qui ralentit tous les regards...

Maintenant, c'était le moment de l'alchimie de la matière : elle s'assouplissait, se perméabilisait, de sorte que l'énergie puisse entrer et sortir du corps dans un jeu de complicité avec l'Univers.

Mon Maître m'avait répété mille fois que l'énergie et le corps devaient traverser la vie ensemble, synchrones à jamais. Il fallait que l'époux prenne épouse, et que tout au long de ma danse il n'y ait plus d'adultère.

C'est cela : l'énergie ne devait plus jamais quitter ma matière, pour quelque raison que ce soit !

Vint le moment magique où la vague de vie me prit de plus en plus amplement, de plus en plus volumineusement, mais en même temps de plus en plus fermement. Ici commençait l'ordre manifesté par les lois de l'Univers...

«Maître, je t'en prie, aide-moi à percer le mystère qui se trouve au-delà de mes limites, car là, je ne peux aller plus loin tout seul...»

Viens avec moi

Ferme les yeux

Ceci est ton dernier voyage

Avant de repartir dans ton monde

J'eus la sensation soudaine de me fondre dans mon Maître de danse. Je fus aspiré en lui, je tournoyai en lui. J'eus l'impression de pénétrer dans le temple de l'Univers.

Une phrase s'imposa à moi : «Etre libre, ce n'est pas faire n'importe quoi». Je compris alors que ma vie n'était pas seulement cette énergie ressentie dans mon corps, mais qu'elle était aussi orchestrée par la mutation de l'Univers entier. Aventure folle...

Je glissai dans le torse-même du Maître, et ressentis une présence paternelle, semblable à celle du père qui veille sur ses enfants dans l'attente de les retrouver au sein de la grande famille.

J'entendis la complainte d'un souffle sonnant le rassemblement de son troupeau perdu, un souffle qui venait du tréfonds de l'infini ; d'abord un, puis deux... C'était là le lieu de la respiration de l'Univers !

J'écoutai la mélodie du son ultime, qui se séparait en trois, puis en six, puis en neuf, et ainsi de suite... C'était là le lieu donnant naissance aux rythmes qui offriraient à chacun des continents de la Terre sa propre culture, afin que tous puissent se reconnaître dans leur danse !

Je pressentis les messages clairs de l'intelligence de vie, distribuant ses conseils attentionnés : «Laisse-toi aller dans cette voie, ne décide plus... Je sais où tu vas, et tu ne le sais pas encore !»

J'admirai la palette du peintre de l'Univers, où l'amour était bleu, l'intelligence jaune, l'humilité blanche...

Ici le soleil, la lune, les étoiles, étaient seulement la partie visible de l'Univers, et étaient soumis à plus précieux encore : un invisible mouvement, celui-là même qui se cache dans la profondeur du corps.

Pourquoi, pensai-je avec effroi, ce mouvement était-il caché aux sens communs ? Pourquoi ce joyau de vie ne brillait-il pas au grand jour ?

Pour que cette puissance
Reste à jamais constructive
Et ne devienne jamais destructrice
Car en ce lieu
La foi peut soulever des montagnes

Et le volcan qui se réveille
N'est que le pâle avertissement
D'un chaos insoupçonnable

Seul celui qui a déposé les armes
Est admis en ce lieu
Ainsi en ai-je décidé !

Comment cela : «ainsi en ai-je décidé» ? C'était la voix de mon Maître... Sa phrase eut le temps de faire le tour de mon corps en une seconde. Mais alors...

Eh oui ! Je suis le Créateur en personne
Et le Maître de danse
De tous les hommes retrouvés
Je suis le Père du fils
Qui est déjà venu sur Terre
Et du fils qui y reviendra

Viens avec moi
Et allons à la rencontre
De mes fils retrouvés

Ils seront heureux

De t'accueillir parmi eux

Ici tous se reconnaissent

Parce qu'ils sont invisibles

Mon Dieu ! Allais-je pénétrer le mystère des paraboles de Celui qui était déjà venu ?
A peine l'avais-je pensé qu'une autre voix se fit entendre :

> *Alors l'aveugle ne verra rien*
> *Trop habitué qu'il est*
> *A ne voir que le visible*

Innommable... C'est le mot qui me vint à la bouche. Mon Dieu... C'est le mot qui me vint au cœur. Pardonne-leur... C'est le mot qui me vint à la raison. Et pas un homme ne me croira...

Allons, viens

Remettons-nous au travail

Ici on ne reste pas avec ses souvenirs

Car le temps a cessé d'exister

Définitivement

Puis la voix se tut, comme pour respecter l'amour qui avait envahi tout mon être profond ; un silence

108

qu'il ne fallait pas rompre tant il était riche et précurseur de ce qui se préparait.

Je sentis alors naître en moi une marée de vie incommensurable, ni en dedans ni en dehors. Et dans cet ailleurs dont je faisais désormais intégralement partie, mon pauvre corps d'homme devint l'axe autour duquel se mirent à tourner toutes les planètes du monde ; un axe solide et mouvant dont dépendait l'équilibre de l'Univers.

Mon torse me brûla, j'eus même l'impression qu'une plaie s'ouvrait dans une joie immense, une plaie d'où jaillissait un véritable siphon de vie balayant la terre d'un souffle de lumière, d'amour, de paix et de fraternité.

Là, impuissant, je vis que peu d'hommes tendaient leur voile pour profiter de la sagesse de cet élan.

Ils continuaient à pêcher des poissons qui nourrissaient leur ventre, ignorant la famine qui sévissait sur cette Terre. Mais les corps avaient faim d'une autre nourriture, le jeûne avait duré trop longtemps...

Mon souffle était coupé. Tout était trop grand ici, et j'avais peur de comprendre ce qui m'était demandé.

Regarde là-bas, au loin
Cette peau qui sépare l'homme
De l'Univers, sa matrice

Le danger est grand
Car du côté des hommes
La pollution a commencé son oeuvre

Je ne comprenais plus : pourquoi l'homme malmenait-il ainsi son corps, sa Terre, et son univers ? Pourquoi et comment était-il parvenu à détruire à ce point son indispensable, son nid de vie ?

Tu vois, parmi eux il en est qui espèrent
En le savoir de l'homme
Pour éviter le pire

D'autres espèrent en un Dieu
Qui sauvera en un miracle
Le peuple de la Terre

Ses propos semblaient sans appel : l'homme ne pourrait défaire ce qu'il avait lui-même créé, et ne pourrait recevoir ce qu'il avait rejeté pendant qu'il était encore temps... Et j'osais à peine conclure : «On parle beaucoup de Dieu là-bas, mais le Créateur ne sait peut-être pas que Dieu existe !»

Peut-être demandait-il simplement que nous redevenions l'homme qu'il avait créé...
Je lui posai la question qui me brûlait les lèvres : pourquoi lui, qui avait créé le monde, ne le sauvait-il pas ?

Je t'ai choisi pour ton profil de pécheur

Afin que nul ne puisse confondre

Le fruit et son arbre

Mieux valait faire semblant de ne pas comprendre... Je ne désirais pas entériner un tel engagement, qui dépassait de trop loin ma raison.
Mon cœur avait ouvert les yeux sur la froideur de mon passé. De pauvre j'étais devenu fortuné. Mais de là à me sentir investi de la sauvegarde de l'homme et de l'Univers, il y avait un pas à franchir !

Afin que nul ne puisse confondre

Le fruit et son arbre...

Cette phrase se répéta à l'infini dans mon corps, comme si le souffleur de l'Univers voulait que jamais je ne l'oublie.
Je fus soudainement rejeté en arrière, dans un passé que je croyais définitivement oublié : l'homme que j'étais avait été sauvé malgré tout,

111

au plus profond de son désarroi et de son ignorance. J'étais la preuve que les hommes
redanseraient un jour avec leur âme dansante...
Ma marche vers la vie ne faisait-elle que com-
mencer ? Me conduirait-elle à danser pour les
autres ?

Tu penses bien

Ta danse a porté ses fruits

Et la spontanéité qui jaillit de ton corps

Trouvera le mot qu'il faudra

Le geste qu'il faudra

L'état d'âme qu'il faudra

Au moment où il le faudra

C'était sûr, mon danseur intérieur sortirait de la
discrétion du dedans pour relever le défi de devenir visible aux profanes, qui ne savent pas encore que la vie est mouvement.
C'était sûr, certains se réveilleraient en sursaut,
et prendraient ce gain offert. D'autres ouvriraient
seulement un œil, puis dormiraient à nouveau.
Mais beaucoup diraient que ma fortune n'existait que dans mon rêve. Et à ceux-là, que leur
dirais-je ?

A ceux-là tu leur diras
Heureux les endormis
Bienheureux les éveillés
De sorte que tous
Puissent dormir tranquilles
Sans souci d'injustice

Aux détracteurs, raconte des fables
Ne leur dis pas leur lieu de naissance
Et de mort

Ne leur confie pas la source de ta fortune
Beaucoup voudraient te la voler
Afin de s'enrichir pour leur compte
Au contraire, vis parmi les plus pauvres
Et partage leurs croyances
Ils seront alors surpris
De voir un danseur parmi eux

Puis le goût leur viendra
D'offrir une fête à leur corps
Et ils prendront pour partenaire
Le mouvement intérieur
Qui piétinait d'impatience
Dans les coulisses du corps

Du mouvement naîtra l'amour
De l'amour jaillira la lumière
De la lumière émergera la joie
Et de la joie se répandra la paix
Chaque homme cherchera
Au tréfonds de son corps
Toute la souplesse qui restera de sa vie

Dis-leur que le chemin est tout tracé
Dans le cœur de l'homme
Et qu'un jour je leur prendrai la main
Pour guider leur danse
Là où il n'y a plus de lendemain

Toi, le Créateur, mon Maître de danse, ta voix dansait au rythme de ta prière, une prière qui me prenait au mot. Et je sentais une couronne d'épines labourer toutes mes certitudes, comme le laboureur prépare sa terre à recevoir le grain. Je pressentais que mon linceul devait se laver de toutes mes attitudes, trop voyantes pour appartenir au monde de l'invisible.

Tout changeait en moi trop vite. Il me fallait revenir vers les miens et redécouvrir ma terre, riche de mon regard nouveau. Mon Maître m'avait prévenu : il s'effacerait de mon souvenir le temps nécessaire, afin que je grandisse seul...

Un tourbillon différent des autres me transporta dans un voyage à mi-chemin entre le rêve et la réalité... Un dernier conseil, un ultime sourire réconfortant, et j'allais découvrir ma nouvelle destination : la Terre.

Écoute la nature

Laisse-la venir à toi

Et sois vigilant...

Ah ! Si tous les hommes
Pouvaient pénétrer l'Univers
Leur manège intérieur danserait
Avec le ballet majestueux de l'Univers

Écoute la nature,
Mon ami

* * *

*U*ne vague de vie émergeant d'un océan devenu calme déposa dans la discrétion de l'aube un corps éclairé d'une lumière nouvelle.

Il me fallut quelques instants pour comprendre que ce corps était le mien, tant tout était changé dans la sensation d'être vivant: impression étrange de n'être qu'un mouvement qui traverse le temps, en témoignage à la vie victorieuse sur ma condition passée.

Je ressentais encore le goût précieux qui règne dans la profondeur invisible de l'Univers, et mon corps semblait s'éveiller d'une longue nuit d'absence.

Danser dans les bras de l'Univers n'était pas un vain mot, me dis-je à ce moment. Et je me surpris à en sourire, comme un chanceux qui vient de gagner au jeu. Mais ici, le prix à gagner était un cadeau du ciel : un voyage au plus profond de l'inconnu, de l'Univers et de moi-même.

Aventurier, je l'étais : les voyages dans l'espace ou au fond des océans m'avaient toujours fait rêver. Mais le rêve était maintenant dépassé par la

réalité, bien au-delà de l'imagination du plus grand rêveur. J'avais pourtant, avec mes amis, souvent refait le monde, mais à chaque fois nous nous quittions sans illusions quant au changement de la planète, de l'homme et des choses de la vie.
Cette fois, j'avais la conviction que quelque chose de très important venait de se passer: sensation que jamais plus la banalité ne ferait partie de mon monde, vision élargie, un regard neuf dans un corps nouveau.

Combien de temps suis-je resté ainsi, posé à même le sable, sur cette plage déserte, vierge de toute présence humaine? Où donc étaient les hommes?
Une impression de fin de quelque chose envahit ma pensée, une crainte de solitude définitive, presque une panique... J'avais un cadeau à offrir, un message à dire, la vie à partager, et là, personne! C'était comme la fin du monde, et je commençais à me recroqueviller sur moi-même. La tête dans les mains, me vint l'envie folle de retrouver la protection de ma mère, de retourner d'où je venais de naître.

Fœtus, je redevenais fœtus; un enfant pas comme les autres, qui devait mériter une confiance venant d'un lieu où les hommes étaient tous des enfants. Nu, j'étais nu, de la nudité de la candeur, celle qui rit aux éclats des choses joyeuses et pour qui la différence n'existe pas encore.

De ma crainte d'être trop seul naquit peu à peu la joie de me sentir unique. Mon regard se porta vers le Soleil, et je crus qu'il me parlait : «A tes yeux, il n'y a qu'un seul Soleil; et c'est vrai, je suis là pour toi, pour te prouver combien tu es unique. Sinon il y aurait autant de soleils que d'hommes...»

Je n'étais pas dupe, il devait dire la même chose à tous les hommes. Idée folle... mais ô combien révélatrice, car à ce moment je compris que rien n'est dans les choses, mais que tout est dans la manière d'entrer en relation avec les choses.

Et si Dieu, lui-même, était le sentiment de relation reliant l'homme au Créateur de l'Univers? Cela me plaisait beaucoup...

C'était sûr, quelque chose avait changé en moi: ma pensée était devenue vagabonde, et semait à tous vents des idées émancipées de leur censure habituelle. Impression forte, semblable à celle du prisonnier sortant de sa prison, enfin libre de guider ses pas là où il veut...

Prison, mon Dieu, tu n'es pas toujours ce lieu compris entre quatre murs; prison, tu m'évoques autre chose que j'avais oublié un instant: combien de corps servent de prison à la vie qui veut vivre ?

J'eus peur à nouveau de perdre un espace nouvellement acquis, que nul ne peut soupçonner s'il ne l'a pas vécu. Heureusement, peut-être... Car l'homme ainsi conscient de la vraie liberté se sentirait esclave d'un monde qui n'a de liberté que l'apparence.

Je flottais ainsi de pensée en pensée, semblable à un homme évanoui qui ressent une séparation entre son corps et sa raison. Je me sentais entre sommeil et éveil, entre deux mondes n'ayant pas encore fait l'union dans le corps; un état inachevé, comme celui de l'homme qui va mourir et qui est déjà ailleurs, ou de l'homme en attente de renaître dans un corps nouveau.

Etais-je vivant ou mort, dans un rêve ou dans la réalité, sur la Terre ou dans l'univers ? Qui étais-je ? Je ne me reconnaissais plus...

Je devais être ce bébé attendant la dernière poussée de sa mère pour sortir de son univers d'eau et émerger dans un monde d'air, dans lequel pourtant, je m'en souviens, j'étouffais.

Quand le passé se mêle ainsi au présent, tout devient confus. Quand le futur se mêle au présent, tout se suspend.

Résigné un instant, j'acceptai l'idée que peut-être j'allais mourir. Oui, tout simplement mourir, comme tout le monde! Triste fin, pour un homme qui venait à peine de naître... Je me trouvais au paroxysme de la bêtise: mourir pour mourir. En un éclair, je compris que beaucoup d'hommes se donnaient la mort par peur de la vie. Et j'avais failli en faire partie ! Calamité !

Un cri ébranla alors mon corps: «Je veux vivre !
Je veux vivre !»Et je répétais cela, encore, de plus
en plus fort, jusqu'à le hurler de mon ventre :
«JE VEUX VIVRE !!!»
Un écho venu d'ailleurs me répondit. Une fois.
Deux fois. Trois fois... Il pénétrait en moi, se trans-
formant en inspirations et expirations amples...
Alors je me sentis revivre dans le pouls de l'Univers. Sauvé, j'étais sauvé!
La vie retrouva mon corps, et la mer rompit son
étrange silence. Les vagues se firent haletantes,
et secouèrent mon corps comme pour mieux le
réveiller: «Réveille-toi, allez, réveille-toi...» semblait
chuchoter chaque vague en venant au contact de
mon corps redevenu vivant.
Chaleureuses vagues, vos allers et retours inces-
sants s'estompèrent en un silence d'oasis, comme
dans un conte de fées...
Une mélodie, au début à peine perceptible, se
dégagea de cette ambiance aux accents inhabi-
tuels.
Je dus fermer les yeux pour mieux entendre. La
mélodie devenait maintenant distincte, à mon
cœur seul. Mes oreilles n'entendaient rien et,
pourtant, par tous les dieux, je jure qu'une voix
dansante se déroulait et s'enroulait dans toutes
les parties de mon corps. Une voix qui, progressivement, me touchait davantage. Elle me faisait
du bien... Où l'avais-je déjà entendue ?

La vie est une passante
Et le corps un radeau
Qui coule au gré des flots
Au gré des flots
Et le rivage est l'idée
Que tu as de la vie

Je voudrais te dire
Que les jours anciens n'existent plus
Et les jours nouveaux non plus
Je voudrais te dire que la vie est ici
Et t'attend dans l'éternité du présent

Une voix pas comme les autres...
Plus je l'écoutais, plus je la voyais. Elle était habillée d'un mouvement, d'une vague invisible...
Allons bon ! Je me mettais à entendre avec mon cœur et à voir des choses invisibles ! Si ce n'avait été aussi réel, j'aurais gardé pour moi ce secret !
Puis, la voix revint sous une autre forme, déguisée en bleu d'amour... Mais où donc l'avais-je entendue ?

L'amour est une fleur
Qu'il faut offrir à la nature
L'amour est un cœur
Qu'il faut offrir à l'homme
Et l'homme est un cœur
Qu'il faut offrir au Créateur

J'aurais donné toute ma vie pour rester là, ainsi, à entendre ou à voir, je ne savais plus, cette voix qui nourrissait un espoir déjà rencontré.

J'étais vivant, cela je le savais; mais réveillé ou endormi, cela je l'ignorais! Il aurait fallu que je m'en informe, une bonne fois pour toutes ; mais d'un autre côté, je m'en moquais un peu : quel que soit l'état dans lequel j'étais, seul le désir profond de ne pas le quitter m'habitait. C'était peut-être le sixième sens de l'espoir...

A peine avais-je pensé cela, qu'une lumière invraisemblable alluma tout mon corps; une clarté qui habitait aussi mon regard, devenu capable de pénétrer dans l'intime des choses, presque voyeur tant il dénudait les secrets...

Un arbre croisa mon regard.

Que vient faire cet arbre ici ? m'interrogeai-je alors, sur cette plage déserte, auprès d'un océan d'oasis, des chants mystérieux, et des flammèches bleues tourbillonnantes ...

C'est sûr, je devais être endormi!

«Que non point! s'exclama l'arbre, au contraire, tu t'es éveillé à la vie et tu commences à entrevoir les choses que tu ne daignais pas regarder.»

C'est une histoire à dormir debout! pensai-je un instant...

Un arbre qui me parlait, c'était déjà étrange; mais en plus, je l'atteste, ses mots résonnaient très fort dans les racines de mon corps. Je me sentais solide comme un roc, comme une montagne, et je buvais sa sève qui assouvissait une soif de vivre datant de bien avant mon âge.

Mes sens étaient sens dessus dessous quand j'entendis un son bizarre : «Psstt, psstt, psstt...». Regardant à droite et à gauche, je ne vis rien, si ce n'est une sorte de lézard rampant qui me parut très très vieux. Il était bleu, puis jaune, puis rouge... Bref, il bougeait !

«Bonjour, je suis le doyen des caméléons. Je suis venu à toi car tu fais désormais partie de notre famille.»

Allons bon, il ne manquait plus que cela ! Décidément, ce monde est de plus en plus étrange... En d'autres temps, je ne me serais pas prêté à une telle situation.

«De toute façon, non ! Car autrefois tu ne m'aurais pas vu. Normal, pour un caméléon, n'est-ce pas ?»

A ces mots, un nouvel état envahit tout mon être. Et à la seconde même, je me sentis prêt à m'adapter à l'imprévisible, à épouser toutes les formes de la nouveauté...

Etre capable de changement : sensation de liberté et d'immensité insoupçonnable. Je dégustais cet état qui ne finissait pas de changer d'état. La nouveauté, je pouvais en témoigner, avait un goût, comme l'épice qui relève la fadeur des plats de tous les jours.

Ah! Si tous les enfants de la Terre pouvaient être là, pour vivre cette aventure, le monde entier serait sauvé... me disais-je, ému.

Cette pensée fit couler sur mon visage des perles d'amour, venues directement d'un lieu où l'amour n'avait pas été oublié. Dieu, comme je me sentais bien... L'extravagance de la situation ne me gênait plus. Tout devenait normal. J'étais nouveau, et toutes mes réactions du passé s'étaient volatilisées, au point que je ne m'étonnais plus qu'un arbre ou qu'un caméléon puisse me parler. Le normal est décidément la première référence qu'il faudrait abolir, car il classe les gens en deux catégories: les normaux et les anormaux, les raisonnables et les fous... Pourtant, chez chacun d'eux, l'amour attend l'amour...

C'était décidé, jamais plus je ne jugerais les uns et les autres à cause de leur comportement. Je scruterais leur cœur afin de repérer les fissures qui permettraient à mon amour neuf de pénétrer en eux.

A cet instant, un parfum d'amour attendrit mon cœur, mon âme, mon corps. D'emblée, je fus attiré par la beauté d'une fleur aux dimensions microscopiques. Comment un tel amour pouvait-il s'exhaler d'une si petite chose ?

«Je suis venue à toi parce que tes perles d'amour sont semblables à la rosée du matin sur mes pétales. Je suis la plus petite parmi les miens, mais aussi celle dont l'élixir d'amour est le plus grand.» Petit, je me sentais petit... Mais, en même temps, j'avais la sensation de me répandre à tout ce qui m'entourait, et bien au-delà.

Dieu, que la petitesse était grande, et combien elle était porteuse d'un amour fait pour être offert... L'amour est précieux comme le pétale de cette si petite fleur, fragile à toute exigence...

Exigence, tu es couplée au mot amour et ce mariage est illégitime, car il ne représente en rien le don total que seul l'amour peut réaliser sans calcul.

Je me sentais fané à l'idée qu'il puisse être pris en otage par l'homme à des fins de possession, héritage d'un passé que je ne reconnaissais déjà plus comme étant le mien.

Voler de mes propres ailes et chanter à tous les hommes l'hymne de la liberté, tel était mon vœu du moment. L'oiseau qui passait par là l'entendit sûrement, car il fit brusquement demi-tour et du ciel se posa à mes pieds. Sans même un regard, il entonna un chant qui me transporta dans le monde des complaintes. Les vocalises de l'Univers jaillissaient de toutes parts de son poitrail de plume, dans une générosité que seul un homme n'est pas en mesure de donner.

«Je suis le Prince du ciel. Mon roi se trouve tout proche du lieu où tu as changé de sens. Je suis venu à toi pour t'ouvrir les portes du souvenir, la source d'où jaillissent les colombes de l'espoir.» Et l'oiseau s'envola, emmenant une partie de moi-même dans les airs, là où les vents sont invisibles.

Souvenir... mon corps retrouva dans l'instant les premiers pas de danse qu'il avait appris là où le ciel devient Univers.

Danse... Peu à peu l'étrange ne m'était plus étranger, mais le voile me séparait encore de ce qui m'était sûrement le plus cher.

Quelle légèreté... Une force nouvelle me propulsait, en même temps que mon corps d'athlète s'amenuisait. Je sautais et je courais jusqu'à en perdre le souffle: ivresse de l'impossible course vers la vie, pour atteindre mes limites et découvrir ce qu'il y a derrière.

«Cours, cours et fends l'air... Ne te retourne jamais plus. Moi, la gazelle, je suis venue à toi parce que tes bonds n'ont comme ambition que d'avancer plus vite encore, pour mieux t'éloigner de ton passé.»

A cet instant, le temps se volatilisa devant et derrière moi. L'horizon avait cessé de paraître loin, et le moment de ma naissance n'avait réellement jamais existé. Même mon propre nom me semblait être celui d'un étranger...

Invraisemblable réalité ; immense infini où les repères n'existent plus ; un désert à perte de vue où la chaleur est douce et la soif assouvie ; mer de sable dont les vagues sont des dunes qui offrent une vision panoramique de la beauté de l'immensité innommable...

«Plus haut je serai, plus profond je me sentirai.» Cette phrase résonnant en moi devenait limpide comme l'eau de la source jamais troublée par les soifs de l'homme rassasié de boissons enivrantes.

«Plus profond je serai, moins grand je me sentirai.» Jeux de mots, jeux de phrases, qui interpellaient un orgueil naissant, d'être ainsi un élu privilégié d'un spectacle non défloré par les désirs de l'homme endiablé de sens.

Imagination fertile, ou pensée libérée, coulant au gré du vent de la plume qui a créé le mot pour mieux laisser des traces à ceux qui ne savent pas encore écrire de leur plume de vie.

Lettres du noble art, inscrites dans le rocher du temps pour mieux dire que le temps est une nouveauté répétée à l'infini.

Délire... Je délirais de créativité nouvellement conquise, me débarrassant du temps comme l'illusionniste se moque de l'apparence.

«Cours, cours... Et fends l'air. Moi, la gazelle, je suis venue à toi pour te dire que l'Univers t'attend depuis que le temps n'existe plus pour toi...»

Fin. Le mot «FIN» apparut en toutes lettres sur le sable de mon aventure. Le voile du début s'effaça

lentement, comme s'il tirait sa révérence à l'ancien; il saluait l'homme nouveau que j'étais devenu par la grâce des rencontres avec mes compagnons de fortune, apparus le temps d'un changement. En pensant à eux, mon cœur s'alluma. Le tourbillon se fit de plus en plus fort...
Une autre vague de vie m'emmena dans un lieu différent, où apparut la présence tant aimée qui m'avait tant manqué.
«Oh Maître Créateur, tu es là... Fais-moi danser encore dans le cœur de ton cœur. Je ne t'avais pas oublié ; j'avais simplement oublié qui j'étais, et je ne savais pas encore qui je suis aujourd'hui...»
A ces mots emplis de piété, mon Maître sourit, du même sourire que celui de l'instant de mon départ.

Je ne t'ai jamais quitté
Et tu m'as rencontré à chacun de tes pas
Souviens-toi...

Ta peur de mourir
Était la renaissance de ta vie

Ta soif de vivre
Était ta reconnaissance de la vie

L'écho du ciel
Etait le germe de ta naissance

Ta respiration était l'acte d'amour
Entre ton corps et ta vie

La vague de l'océan
Etait l'éveil de ta chair

Et la voix pas comme les autres
Etait mon attention de soutien
A ton rêve fou

Mais alors, Maître, l'arbre, le caméléon, l'oiseau,
la fleur, la gazelle... C'était toi?
Le Maître riait très fort. Jamais je n'avais pris
conscience à quel point mon Maître était rempli
d'humour. Il avait l'art de compliquer son enseignement dans une simplicité extrême.
En cet instant, je compris le sens de chaque mot,
qui jouait en paradoxe comme pour mieux perdre l'homme trop érudit dans ses analyses sa-
vantes. Je venais de découvrir qu'il existait une

manière de parler de telle façon que l'homme qui croit savoir ne comprenne pas, et que l'homme qui ne sait rien ressente.

Je comprenais maintenant ce que signifiait : «Il y a des mots qui n'ont plus de sens, qui ne veulent plus rien dire. Il y a des regards qui disent tout et des silences qui me nourrissent...»

Sentir, ressentir, voilà le sens des mots : se laisser convaincre par la sensation que transporte un événement, seule attitude qui conduit au changement de son être, de son état.

J'avais ainsi appris la solidité avec l'arbre, le changement avec le caméléon, l'humilité et la compassion avec la fleur, la générosité et la confiance avec l'oiseau, l'intrépidité du présent avec la gazelle... Quelle belle leçon : apprendre des animaux comment redevenir un homme ! Je devinais encore plus l'habileté dont avait fait preuve mon Maître en choisissant un rêve comme terrain d'apprentissage de la réalité.

Il me confia alors que son travail prenait fin sous cette forme. Mon rêve cessa, le temps d'un aurevoir. Tout s'effaça.

Mon aventure n'avait à cet instant jamais existé...

Eveille-toi,
Mon ami

* * *

Il était neuf heures, et comme tous les matins à cette heure-ci je me levai promptement. Mon sommeil avait été profond, et cependant je me sentais plus léger que d'habitude.

Je m'apprêtais à faire les gestes habituels du réveil, quand, curieusement, je me surpris à ressentir un certain bonheur de vivre : mon désespoir de la veille s'était volatilisé par je ne sais quel miracle !

J'ouvris les volets de ma fenêtre et jetai comme à mon habitude un regard dans la cour de mon voisin, un homme à la réputation pas facile. D'ordinaire, l'accueil était froid et indifférent. Mais là, au contraire, à mon grand étonnement, il me fit un signe de la main en guise de bienvenue. Surprise ! Il pratiquait une sorte de danse lente, où tous les gestes semblaient ne pas être appris. La paix qui émanait de lui était sûrement communicative, car je ressentis une chaleur à l'intérieur de moi, accompagnée d'un mouvement doux dans mon cœur.

Le Soleil paraissait avoir tout spécialement traversé les nuages et offrait une lumière irréelle. La Lune même avait laissé son empreinte dans un ciel plus grand qu'à l'habitude, ou peut-être moins loin...

Ambiance étrange de l'instant important du cadeau offert par surprise. Il est des moments où la beauté devient trop belle pour être crue vraiment. Et pourtant, mon regard ne pouvait se tromper : quelque chose avait changé ; et mes paupières, pour mieux conserver le souvenir d'un tel moment, se fermèrent... Douce caresse, je ne te connaissais pas mais je t'accueille dans ma demeure, comme si tu étais ma plus vieille amie.

Quelle différence ! Hier, la vie était sombre et orageuse, et la foudre s'apprêtait à tomber comme un couperet ; aujourd'hui, la vie était lumière et douceur...

Je fis quelques pas dans la maison, et tout me sembla trop vieux. Les livres, entassés soigneusement dans une bibliothèque à l'allure érudite, me narguaient du haut d'un savoir qui ne m'impressionnait curieusement plus. Je pris un livre au hasard, et ne vis que la poussière du temps. Je le posai définitivement.

Le plafond était bas, je ne l'avais jamais remarqué à ce point. J'étouffais, et je décidai d'aller faire un tour avec mon nouveau ciel et mon nouveau soleil.

Entrouvrant ma porte, je crus un instant rêver !

Un spectacle hallucinant s'offrait à moi: le village s'était-il transformé en un asile provisoire ? Il courait sur la place un vent de folie douce... Tous les habitants étaient là, réunis, un jour de non-fête ! Ils semblaient revivre le bon vieux temps de leur enfance. Non, il ne s'agissait pas d'un vent de folie, mais d'un vent de liberté nouvellement acquise, et sûrement maladroite... Non, finalement, ce n'était pas de la maladresse, mais une authenticité naissante, où chaque geste avait des allures inédites. Rien n'était plus comme autrefois...

J'étais stupéfait : les habitants reprenaient en chœur une nouvelle danse ressemblant fort à celle de mon voisin. Et tous trouvaient cela normal ! Je me surpris moi-même à aimer cela... Mon impression du début laissa place à une envie de participer à ce qui était devenu une de ces fêtes qui n'appartiennent pas au calendrier : improvisée, imprévisible, mue par un élan qui dépasse la raison et le raisonnable. Un air de fête touchant une partie de moi qui ne se souvenait plus, ou pas encore...

A n'en point douter, je faisais partie des invités : tous me le faisaient ressentir par leurs sourires et leurs gestes qui sentaient bon l'accueil total.

Une conviction m'habitait : jamais cette fraternité n'aurait dû disparaître. D'où venait-elle ? Je l'ignorais, mais il est comme cela des convictions qui n'ont pas besoin d'une certitude pour exister...

Je vis les vieux danser avec les enfants dans un même éclat de rire. Les rides, qui d'ordinaire confèrent le sérieux, servaient de lit à des expressions de bonheur. Et les petits s'en donnaient à cœur joie de retrouver ainsi des complices à leur spontanéité.

Le monde était à l'envers : les enfants parlaient à leurs parents, leur apprenant à jouer à la vie avec l'insouciance du geste non calculé, du mot authentique. Je vis les ennemis jurés d'hier se prendre par la main et faire un bout de chemin ensemble.

Les riches parlaient aux pauvres, offrant leur veste à ceux qui avaient froid ; et moi-même je ressentais un désir profond de prendre tout le monde dans mes bras, sans raison apparente. J'étais heureux !

Tout mon être savourait ces instants de bonheur vrai. Mystère... Jusqu'alors, j'avais craint une fin du monde soudaine et catastrophique, et maintenant j'étais le témoin de la fin d'un monde obscur et pesant, qui semblait annoncer un nouveau monde...

C'était sûr, dehors, tout était transformé. Mais au fil de mes pas, je découvrais que la transformation était aussi mienne : ma peau n'avait plus la même épaisseur, et ne m'isolait plus de la même manière de l'extérieur. Mes os étaient moins lourds, et avaient acquis une nouvelle souplesse. Mes pas rebondissaient sur le sol et détenaient un nouveau secret : la joie d'être intrépide... Mes jambes avaient envie de courir en tous sens, comme pour mieux libérer un piétinement qui avait trop duré. Mes bras s'ouvraient à tous vents, pour aller vers celui qui se trouvait sur leur chemin. Mon torse — jamais je ne l'avais senti ainsi— semblait se répandre dans un volume au rayonnement lointain. Mon cœur me chauffait la poitrine, dernier signe d'urgence pour s'envoler réchauffer des cœurs trop seuls. Et ma tête avait perdu un poids, une lourdeur, qui autrefois étaient discrètes, mais qui aujourd'hui, confrontées à la légèreté, étaient repérées et rejetées.

Je découvrais toutes les parties de mon corps qui jusqu'à ce jour étaient restées ignorées. Mais, cette fois, la nouvelle était passée dans mon corps. Chaque geste avait la même signification qu'un mot, chaque déplacement avait le même engagement qu'une décision, chaque mouvement était un état d'âme qui s'exprimait. Que m'arrivait-il ? Pourtant, ce matin, mon miroir reflétait le même visage et le même corps. L'apparence n'avait pas changé. Seul l'invisible change, et il lui faut un certain temps pour s'exprimer en surface...

Logique... Il allait falloir t'habituer à la surprise de la nouveauté, sinon tu stopperais tout, et les choses redeviendraient comme avant...
Courir, il me fallait courir, mais cette fois-ci dans des chemins inconnus qui me feraient avancer. Mes pas décidément semblaient plus intelligents

que moi, car ils se guidaient vers la forêt comme le papillon de nuit est attiré vers la lumière.

Je volais à pleins bonds en direction de la forêt. Ma détermination plaisait aux animaux du lieu : tous semblaient m'emboîter le pas dans un élan commun, et chacun paraissait être préparé à ma venue. C'était du moins la sensation qui se dégageait de mon voyage...

Je connaissais bien cette forêt. C'est vers elle que j'allais autrefois quand tout allait mal ou quand tout allait trop bien... Mon père m'avait confié que ce lieu était ma forêt natale : il m'y avait conçu un jour de beau temps. Aujourd'hui était un grand jour, et je courais dans ces allées qui me mèneraient sûrement vers le lieu de ses amours...

Je fus guidé sous un arbre : l'arbre témoin de ma création, pensai-je. Il semblait en effet sourire, heureux de me retrouver.

«Tu as grandi depuis la première fois», me dit-il, «tu es devenu un homme !»

Sa sève traversa mon corps. Je sentis en moi une puissance déjà connue... Un élan irrésistible anima mon corps d'une danse langoureuse. Sensation de retrouvailles ultimes, un rendez-vous inévitable... J'attendais une réponse d'un secret maintenu éloigné de ma conscience, d'un secret oublié qui contenait la clé d'un trésor inestimable pour ma vie.

Le flou régnant dans mon corps devait cesser à jamais... Maintenant je devais danser !

Là où il n'y a pas de lendemain
Laisse ta main courir sa vie
Se rapprocher de ton visage
Laisse ta main courir sa vie
Et se rapprocher du lointain

Mon Dieu, mon rêve... J'avais oublié mon rêve !
Univers, cher Univers... Merci de m'avoir offert
tes secrets, je ne les oublierai plus !

Laisse ton coude vivre sa vie
Et se plier aux lois du présent
Laisse ton coude s'ouvrir
Et se libérer de ses hésitations

Maître, oh Maître, pardon de t'avoir oublié si vite...
Je te le promets, je deviendrai ce troubadour qui
continuera à chanter et à danser les lois du silence.

Laisse tes épaules te dire
La direction de ta vie
Avec confiance et allégresse

Créateur, oh Seigneur, accueille-moi à nouveau dans ton torse, et adopte-moi à jamais...

Va à droite, puis à gauche
Puis reviens ailleurs

Caméléon, oh caméléon, pour toi je changerai de peau, afin que tous me reconnaissent !

Mets de la douceur dans ton cœur
Et partage-la avec tous les cœurs

Fleur, oh fleur, ton amour est une jouvence, et je l'offrirai à qui voudra bien le recevoir.

Trouve la légèreté de ton envol
Et survole l'ignorance

Oiseau, oh oiseau, guide-moi dans les airs, et apprends-moi à planer dans les vents célestes...

Laisse tes jambes courir
Elles te mèneront vers ton chemin

Gazelle, oh gazelle, je survolerai les obstacles, je te l'assure !

J'ouvris les yeux, et vis autour de moi tous les animaux de la forêt qui dansaient langoureusement la nouvelle danse de l'espoir. Je vis un magnifique cerf offrir ses bois centenaires à une biche ; je vis un lapin s'abreuver des larmes d'un renard ; je vis un serpent enlacer un oiseau ; et je vis un escargot heureux de tant de lenteur...
Nous restâmes ainsi un long moment, ensemble, dans le silence dansant... Puis je rentrai au village.

A mon arrivée, tous les habitants du village dansaient. Avec allégresse une rumeur courait dans tous les sens, annonçant une incroyable nouvelle : tous les habitants de la ville voisine dansaient, tous les habitants du pays dansaient, et ceux de tous les continents dansaient aussi !
Tous les habitants de la planète semblaient avoir partagé, durant cette nuit sans fin, une marche dans l'univers du corps, et peut-être dans l'Univers du Créateur, Seigneur de la danse. Un espoir fou me vint au cœur : la Terre était-elle sauvée... ? L'obscurité dans laquelle vivaient les hommes avait-elle disparu ? Un rêve, un seul rêve, avait-il suffi à changer le monde, comme si le Maître s'était glissé subrepticement dans l'âme de chacun ?
Seigneur, merci de t'être ainsi fait chair dans la chair, miracle invisible, changeant la nature profonde de l'homme dans le silence discret d'une

nuit comme les autres.

L'invisible touché par la grâce de l'invisible : pouvait-il en être autrement ?

Des images défilèrent dans mon coeur : je fus plongé à nouveau dans le torse du Créateur, et cette voix pas comme les autres de Celui qui était déjà venu me parla haut et fort :

> *L'aveugle reverra la lumière invisible*
> *Le paralytique dansera à nouveau*
> *Le muet retrouvera la parole juste*
> *Le sourd entendra l'inaudible*
> *L'avare ouvrira sa main*
> *Et le juge ne jugera plus...*

Eveillé, je l'étais, et stupéfait : chacune de mes pensées était un plaidoyer pour l'invisible réalité. Pas de miracle spectaculaire, l'invisible ne l'avait jamais été. C'était d'ailleurs, probablement, la raison pour laquelle l'homme avait inventé des miracles voyants : pour convaincre le sceptique.

Se remettre en mouvement, et ne plus être paralysé dans une attitude figée et des croyances arrêtées ; se remettre à aimer la nouveauté, et en accepter le fruit sans distinction aucune ; remarcher sur les eaux en signe de confiance infinie en Celui qui nous a donné vie, et ne plus mettre en doute l'imprévisible destinée ; parler à nouveau dans la spontanéité de celui qui devine tout ; et enfin voir l'invisible dans toute sa splendeur...

Libre, j'étais devenu libre. Le Seigneur de la danse m'avait offert ses ailes, et je pouvais survoler les reliefs de ma vie avec l'agilité du roi des airs, l'aigle qui avait cessé de chercher sa proie pour se nourrir. Faim, je n'avais plus faim : mon jeûne avait commencé, mon corps se nourrissait de pain et de vin seulement.

Combien de temps avait duré ce rêve éveillé ? Des nuits, des jours peut-être... Le temps était ailleurs, et mon cœur se jouait de l'espace contenu entre chaque seconde. L'infini ne se terminerait donc jamais ? Etais-je condamné à me dénuder encore et toujours de mes horizons finis ?

Je ne voyais plus personne derrière moi : peut-être étais-je le dernier ? Le souvenir n'existait plus, et mes mots chantaient maintenant une mélodie qui parlait au silence intime.

Où étaient mes doutes d'antan ? J'étais redevenu enfant, et les questions s'étaient enfin tues...

Vite, je dois dire tout cela aux autres. Vite, car la nouvelle n'attend pas...

Qu'un seul parmi vous danse
Et tous danseront...

L'arbre de vie dansera
Et chantera à nouveau

Achevé d'imprimer en juillet 2000
sur les presses de la Nouvelle Imprimerie Laballery
58500 Clamecy
Dépôt légal : juillet 2000
Numéro d'impression : 007031

Imprimé en France